D0264111

CONTRE-EXPERTISE D'UNE MISE EN SCÈNE

DU MEME AUTEUR

Conclure dit-il – Sur Lacan – Galilée – 1981
L'Egypte ancienne dans la psychanalyse – Maisonneuve et Larose – 1986
L'Enigme et le Délire – Osiris – 1988
Patrimoine Génétique et Droits de l'Humanité – Le livre Blanc des Recommandations – Osiris – 1990
L'illusion Métabiologique – PUF – 1994
Rapport sur l'Enseignement et la Formation en Ethique – Association Descartes – Ministère de la Recherche – 1996
Freud, le sujet de la loi – Editions Michalon – 1999
L'Homme Dupliqué – Editions de l'Archipel – 2000
Akhenaton sur le divan – Jean-Cyrille Godefroy – 2001
Anatomie de la séparation – Réponses à Jacques Derrida – De Boeck Université – 2002
Quand le travail rend fou (en coll. avec M. Karli et C. Lujean) – NM7 (à paraître en février 2003).

DIRECTION D'OUVRAGES

Vers un anti-destin ? – éd. avec F.Gros – Editions Odile Jacob – 1992
Annuaire Européen de Bioéthique – (sous la direction de) Editions Descartes European Directory of Bioethics (under the direction of) John Libbey Eurotext – 1994
L'heure du Doute (sous la dir.) John Libbey Eurotext
Annuaire Européen de Bioéthique/European Directory of Bioethics – (sous la direction de/Under the Direction of) Tec et Doc Lavoisier – 1996
Le Génome et son double (sous la dir.) Hermès – Avril 1996
Cerveau et Psychisme Humains : quelle éthique ? (sous la dir.) John Libbey Eurotext – Juin 1996
Bioéthique au pluriel (sous la direction de C. Byk et G. Huber) John Libbey Eurotext – Octobre 1996
Sciences et Valeurs (sous la direction de G. Huber et A. Forti) ESK éditions, 1999

EDITIONS RAPHAEL
8, rue des coutures St Gervais 75003 PARIS
01 42 74 49 48

GÉRARD HUBER

CONTRE-EXPERTISE D'UNE MISE EN SCÈNE

Éditions **Raphaël**

Collection « Enquête »

ISBN 2-87781-066-6

PROLOGUE

Tranquille. Il a deux trous rouges au côté droit.

Arthur RIMBAUD

Introduire de la distance entre un poète et son héros est une œuvre que l'on peut entreprendre au nom de la liberté de penser. Mais déconstruire le lien qui les unit en en faisant l'archéologie est un ébranlement à ne provoquer que si l'on est capable de convoquer la vérité.

Ces idées nous viennent chaque fois que nous relisons *Muhammad* [1], le très puissant et très cho-

1. In *Al Ahram* Weekly on-live, 28 décembre 2000 - 3 janvier 2001, issue n° 514, illustré de Francisco Goya's TheThird of may, 1808, traduction in Revue d'Etudes Palestiniennes, 1948-1967-2000, (78) 26 nouvelle série, hiver 2001, Paris, pp. 3-4. L'illustration de Goya est poignante.

On pourrait y joindre *Le Dormeur du Val* d'Arthur Rimbaud ou bien, encore, *Souvenir de la Nuit du 4,* poème dans lequel Victor Hugo, dénonçant le rétablissement de l'ordre par Napoléon III, qui s'est fait au prix de très nombreuses victimes, notamment d'un enfant de sept ans et demi, écrit (c'est la grand-mère qui parle) : « Pourquoi l'a-t-on tué ? Je veux qu'on me l'explique. L'enfant n'a pas crié vive la République » (in *Les Châtiments*, Paris, GF Flammarion, 1998, p. 109).

quant poème que Mahmoud Darwich a composé pour commémorer la mémoire d'un enfant palestinien nommé Mohamed Al-Dura [1], que la caméra qui « capte chacun des mouvements du garçon » a montré en train de mourir, au tout début de la seconde Intifada.

Voilà, en effet, un « oiseau terrorisé par l'enfer tombant du ciel », qui « voudrait rentrer à la maison », mais qui « fait face à une armée » et « voit venir sa mort, inexorable ».

C'est alors que, reprenant espoir, il se dit qu'il va en réchapper et qu'il pourra témoigner.

Mais, « à bout portant », « du fusil de son chasseur de sang-froid », il est abattu.

« Et la rosée, sur son pantalon, est nette... »

Son chasseur aurait pu se dire qu'il l'épargnerait maintenant, en gage de sa conscience, et l'abattrait « plus tard, lorsqu'il se révoltera ! »

Mais, non, affirme le poète. Aussi devient-il ce : « Muhammad, Petit Jésus endormi et rêvant à l'intérieur d'une icône faite de cuivre, d'un rameau de l'olivier et de l'âme d'un peuple renaissant. Muhammad, sang surperflu pour la quête des prophètes ».

Or le reportage de France 2 auquel le poète se réfère ne contient aucune image d'un soldat israélien qui serait en train de viser, inten-

1. Parmi toutes les écritures de ce nom, seule cette forme sera privilégiée dans mon livre.

tionnellement et de sang-froid, l'enfant; absolument aucune [1].

Reste le sang... Est-ce donc du sang que cette « rosée » qui change de place sur le corps de l'enfant en chute? Et puis, où sont les traces de sang que les balles à haute vélocité n'auraient pas manqué de faire surgir sur son corps? Et où se

---

1. Un journaliste palestinien le reconnaîtra d'ailleurs froidement, tout en revendiquant le principe : « la vérité, toute la vérité, rien que la vérité » (voir le troisième chapitre). Cette désinformation est encore lisible de nombreux mois plus tard, par exemple dans un article du site électronique *Arabicnews.com, Disclosing Israeli lies*, Palestine-Israël, Politics, 7/30/2001, dans lequel on apprend que « Le cameraman palestinien Talal Abu Rahma, qui a filmé la célèbre mort de Mohamed al-Dorra, a souligné que Al-Dorra a été tué de sang-froid. Dans une interview donnée au journal *Al-Ahar*, après qu'il eut été honoré au Festival de Radio et de Télévision du Caire, Abu Rahma a dit qu'il a filmé le soldat qui a tué al-Dorra quittant les lieux, ajoutant que le petit garçon avait été la cible de nombreuses balles tirées par différentes armes pendant 45 minutes » (« Palestinian cameraman Talal Abu Rahma, who shot the famous Mohamed al-Dorra death film, stressed that Al-Dorra was killed in cold blood. In an interview with *Al-Ahrar* newspaper after being honored in the Cairo Radio and Television Festival, Abu Rahma said that he filmed the soldier who killed al-Dorra leaving the area, adding that the little boy was a target of different weapons and a lot of bullets for 45 minutes »). Or le cameraman démentira lui-même avoir dit cela, lors de son témoignage sous serment (voir plus loin).

trouve le sang du père, blessé, lui, de plusieurs balles [1]? Questions qui demeureront sans réponse, parce qu'elles ne seront pas posées.

*

1. Le Centre d'Information National Palestinien (Palestinian National Information Center – El Burijhttp : //www.pnic.gov.ps/arabic/quds/martyrs/martyrs1.html) indique à la page « Les Noms de Martyrs des Martyrs d'Al-Aqsa » (The Martyrs Names of Al Aqsa Martyrs) : 13 : « Mohammed Jamal El – Dorra : tirs à balles réelles dans la poitrine et le ventre » (« Live bullets in the chest and abdomen »). On notera immédiatement la différence entre cette affirmation et les propos du père de l'enfant, Jamal Al Dura : « après, une balle atteint son *genou*. Il souffrait terriblement. Je tentai de le protéger de mon corps, mais en vain. Une autre balle l'atteignit dans le *dos*. Je me mis à hurler et à m'agiter, dans l'espoir que les ambulanciers pussent nous voir, tandis que mon fils saignait. Tout ce que je ressentis alors ce fut une balle dans l'*épaule*, suivie de plus de balles. Je ne pus compter les balles, et ne pouvais me rendre compte de ce qui arrivait à moi ou à mon fils. Quand je repris conscience dans l'ambulance, je m'approchais du corps de mon fils. A son contact, je sus qu'il était mort ». (« ...after a bullet hit his knee, he was in pain. I tried to protect him with my body, but there was no use. Another bullet hit his back. I started screaming and waving, in hope that ambulance workers would see us while my son was bleeding. All I felt then was a bullet hit my shoulder, followed by more bullets. I couldn't count the bullets; couldn't feel what was happening to me, or my son. When I regained consciousness in the ambulance, I reached for my son's body. When I touched him, I knew he was dead. ») in WHY, *Al-Ahram Weekly On-line*, 5 – 11 October 2000, Issue No. 502, published in Cairo.

Depuis que les hommes ont décidé de « faire l'Histoire », les guerres qui ravagent le monde ont massacré beaucoup d'êtres humains, parmi lesquels notamment des enfants. Longtemps, les morts d'enfants ont été hypocritement acceptées par l'ordre sociopolitique dominant comme des infanticides sacrés ou des exactions exceptionnelles, ou bien encore comme des destructions inévitables, bien qu'elles fussent non voulues. Quelques voix se sont cependant levées pour dénoncer l'injustifiable (Hugo...). Et aujourd'hui, du fait qu'il existe une charte des droits l'Enfant, que la culture se flatte de tout dire et de tout montrer, et que les guerres tuent davantage de civils que de militaires, la société affirme que le massacre de ces innocents est devenu un critère de la mise au ban de la communauté humaine d'un individu et d'un groupe qui en seraient responsables.

De fait, il y aurait eu de quoi être scandalisé si, comme le dit le poète, Mohamed Al Dura avait vraiment été abattu, et qui plus est de sang-froid, par un soldat israélien. Une enquête internationale aurait dû être entreprise tout de suite afin que les responsabilités fussent clairement établies. Pareille exigence est d'ailleurs pertinente pour la mort de tous les enfants, israéliens comme palestiniens, et de tous ceux qui sont victimes d'autres conflits.

Mais ce fut le scandale qui fit fonction d'enquête. A croire que la société mondiale des hommes est incapable de s'élever de l'émotion au droit et de se donner une Instance qui, tenant sa légitimité de se situer au-dessus des nations et ayant proclamé la vérité sur ce drame, aurait dit : « stop ! » au massacre des enfants et aurait pris toutes les mesures qui s'imposent pour enrayer le processus actuel et le faire régresser, au Proche-Orient comme partout dans le monde où il y a des guerres contre les civils.

En l'absence de cette enquête objective, il ne restait que l'indignation, les pleurs et la poésie. Peut-être.

Mais ce poème prétend attester de la réalité d'un événement et désigner des coupables sans qu'il y ait eu la moindre preuve. Car tout prouve désormais que, dans les images dont il est question, il n'y a ni meurtriers ni meurtre. De ce fait, ce poème nous parle essentiellement des émotions de son auteur. Pas de la réalité.

Si donc nous respectons son émoi et celui de tous ceux qui, aujourd'hui encore, communient avec lui, en supposant qu'ils n'ont pas été informés du démenti du cameraman, nous sommes tout de même parfaitement fondés à demander : pourquoi ce mensonge dans une catastrophe ? Quel est donc ce pseudo argument qui consisterait, pour des raisons poétiques, à admettre qu'il ait pu y avoir lieu un meurtre abominable sans la moindre trace de sang, et à justifier l'insertion après-coup de l'image d'un soldat israélien importée d'un tout autre contexte, au prétexte que si elle ne se trouve pas dans le reportage, elle ne lui en donnerait pas moins son sens réel ? Car, tel est bien l'autre scandale de l'affect.

Dès lors, quand l'écran d'un poème fait apparaître des indices d'images, ajoutées ou manquantes, il n'est plus possible de le lire sans procéder à de nombreuses vérifications.

C'est pourquoi, lorsque vient ce moment, nous devons avoir le courage de suspendre nos émotions, même si elles ne disparaissent jamais de l'horizon de notre écriture.

Tel est bien l'univers sensible de ce livre.

Souhaitons seulement que, par-delà les conclusions diamétralement opposées qui nous séparent, le poète et l'écrivain pourront s'en retourner vers une confiance retrouvée en la liberté de pensée, la soif de vérité et la protection des enfants.

INTRODUCTION

Que s'est-il passé pour qu'à nouveau, le sang coule, alors que la paix semblait si proche ?

Charles ENDERLIN

L'objet de ce livre est la retransmission télévisuelle de ce qui a été présenté comme la mort d'un enfant palestinien nommé Mohamed Al Dura, blotti contre son père Jamal.

En effet, le terrible reportage sur les affrontements de Gaza (Territoires Autonomes palestiniens) que le cameraman palestinien qui travaille pour France 2 (et CNN), Talal Abu Rahmé, a fait, le 30 septembre 2000, et qui a été diffusé le même jour par la chaîne, accompagné d'un commentaire du journaliste franco-israélien Charles Enderlin, n'a pas seulement ému le monde entier; il a produit un effet de sidération.

Nul ne s'est rendu compte que les images étaient incompatibles avec l'assassinat *on live* du fils, atteint par des balles à haute vélocité.

Nul ne s'est également étonné de ce qu'aucune trace de sang n'apparaissait sur le corps de son père, Jamal, lequel aurait pourtant été atteint de plusieurs balles.

L'agression de cet enfant, à plus forte raison mortelle, a en effet été un tel scandale qu'au moment d'en voir les images, et compte tenu du commentaire qui leur assignait un sens quasi-définitif, pareil constat n'a pu venir spontanément à l'esprit de personne. En effet :

1. La mort de l'enfant a semblé évidente,
2. La mort de l'enfant a semblé résulter d'un acte d'une grande cruauté.

Pourtant, l'étude des déclarations de ceux qui sont à l'origine du reportage a convaincu une équipe de journalistes [1] que l'effet des images n'avait pas seulement résulté du sujet du drame mais aussi de sa mise en scène, d'abord technique, laquelle consistait en un cadrage de certains rushes et en un « retrait » (selon le mot d'Enderlin) de nombreux autres.

Du même coup, cette équipe a voulu visionner ces images retirées, ou d'autres qui se référaient au même sujet, pensant que d'autres cameramen de télévision avaient filmé ce jour-là sur place. Or, de même qu'il ne nous a pas été possible de

---

1. Il s'agit entre autres de Stéphane Juffa, rédacteur en chef de Metula News Agency et de moi-même qui suis le correspondant permanent de l'agence à Paris.

Ce livre interagit avec le reportage *A-Dura : l'enquête*, produit par Metula News Agency.

voir les rushes de France 2, de même avons-nous été surpris de constater que parmi tous les cameramen présents (au moins une dizaine), pas un seul n'a filmé quelque image que ce soit de ce drame, en dehors de celui de France 2. Pourquoi ? Parce qu'il n'y avait pas de drame ?

Cette question est devenue décisive lorsque l'équipe a visionné d'autres images des affrontements de Netzarim (mais pas de la mort de l'enfant) prises par d'autres cameramen que celui de France 2, et qu'elle a approfondi certains témoignages des principaux protagonistes du drame : le père, le cameraman et le journaliste, enregistrés par un enquêteur israélien. En effet, comme nous le verrons plus tard, le cameraman et le journaliste affirment qu'ils n'ont jamais dit que c'étaient les soldats israéliens qui avaient tué l'enfant.

Notre étonnement a donc été total de constater que ces personnes apportaient elles-mêmes des retouches à l'évidence des circonstances de la mort de l'enfant. Puis, ces retouches nous sont apparues considérables, lorsque l'évidence de la mort de l'enfant s'est trouvée contredite par le père lui-même [1].

---

1. Interrogé par le physicien et expert israélien Nahum Shahaf (voir plus dans le dernier chapitre) le père dit que l'enfant est vivant.

C'est pourquoi, parvenue à ce point de doute et de perplexité, l'équipe a trouvé légitime de poser la question : une mise en scène, mais jusqu'où ?

En effet, si l'on en croit le Palestinian National Information Center, un enfant, Mohamed Al Dura, est mort ce jour-là à cet endroit précis, ce qu'une enquête objective comportant une autopsie de l'enfant et menée en commun par les Israéliens et les Palestiniens n'aurait pas manqué d'établir de manière définitive.

Or, cette enquête bipartite [1] n'a pas eu lieu, ni l'autopsie d'ailleurs. En conséquence, la réalité du drame n'a jamais été mise en doute. En revanche, plusieurs hypothèses sur ses causes et circonstances ont été expertisées.

Il nous a donc fallu commencer par les contre-expertiser. L'équipe des enquêteurs est partie de l'hypothèse encore partagée par pratiquement tout le monde que l'enfant que nous voyons dans le reportage de France 2 a bien été tué et qui plus est par les Israéliens, pour se rendre par la suite à l'évidence que le reportage ne contenait pas la moindre image de sang, que personne n'était capable d'expliquer comment des « cibles » humaines avaient pu être atteintes par des balles

1. Le fait que cette enquête n'ait jamais été exigée par les partenaires du processus d'Oslo suffit à révéler le degré de rupture qu'ils avaient déjà atteint ce jour-là.

à haute vélocité sans provoquer de déchirures sanglantes, et pour finalement découvrir la logique de ce qui a été analysé par un physicien israélien (Nahum Shahaf) comme un programme [1] soigneusement mis au point par des réalisateurs locaux, et diffusé sans précautions *urbi et orbi* par la chaîne nationale.

Après avoir reconstitué les étapes chronologiques et thématiques de l'ensemble du dossier, ce livre présente donc, en sa dernière partie, ce nouvel épisode de la guerre des images [2] que Palestiniens et Israéliens se livrent,

---

1. En temps de guerre comme en temps de paix, toute « mise en scène » est une mise en images, comme le montre, par exemple, ce texte de Raphaël Jérusalmy : « J'entends les moteurs des deux voitures. Soudain, dans un crissement de pneus, la première voiture s'arrête net à notre hauteur. Un cameraman et une sorte de metteur en scène en surgissent et ouvrent la portière arrière. Yasser descend. Le général, surpris, donne un bref salut et lui dit bêtement bonjour en arabe... Le metteur en scène demande à Arafat de se prosterner et d'embrasser le sol chéri » in *Shalom Tsahal*, Paris, NM7, 2002, p. 376.

2. A ce sujet, lire cette analyse de http : //www.samizdat.qc.ca/cosmos/sc-soc/lib-presse.htm :

« Israël : Les médias israéliens, palestiniens et étrangers doivent pratiquer l'autocensure, ceci en conformité avec l'accord « volontaire » dont la dernière révision remonte à 1996. La loi autorise le gouvernement et l'armée à censurer toute information en provenance d'Israël ou des territoires occupés considérée comme sensible du point de vue de la sécurité nationale (...).

Territoires administrés (occupés) par Israël et Autorité

de manière différente, depuis des années, et qui, grâce au truchement réalisé par des cinéastes palestiniens [1], consiste, selon nous, à mettre en scène la mort d'un enfant. La suite appartient à l'ingénierie audiovisuelle et politique palestinienne laquelle, avec le concours de gens émotionnellement ébranlés, sut fabriquer en trois heures, de manière inouïe, la légende fondatrice d'un enfant-martyr, et s'assurer qu'elle pût être relayée et crue, hâtivement et mondialement.

Nous avons étudié toutes les hypothèses formulées ça et là.

Palestinienne : La situation des médias s'est détériorée après les accords de Wye plantation. L'Autorité Nationale Palestinienne a laissé entendre que les médias d'information devaient être considérés comme un organe de l'ANP. »

(« Israel : Israeli, Palestinian and foreign media must practice self-censorship according to a " voluntary " agreement last revised in 1996...The law authorizes the government and the military to censor any material reported from Israel or the occupied territories regarded as sensitive on national security grounds (...).

Israel-administered (occupied) territories and Palestinian Authority :

The situation of the media deteriorated after the Wye accords. The Palestinian National Authority implied that news media should be regarded as an arm of the PNA. »).

1. Un autre exemple a été vu à la télévision au printemps 2002, à Jénine. La scène se passe lors d'un enterrement. Un mort tombe d'une civière, se relève et arrange lui-même son linceul...

Puis, au terme de cette investigation, notre contre-expertise a conclu que l'image que l'on nous donne à voir dans le reportage ne peut correspondre au corps d'un enfant tué par des balles à haute vélocité.

Qu'on nous lise bien. Nous n'affirmons pas qu'un enfant nommé Mohamed Al Dura n'est pas mort dans les Territoires Palestiniens ce jour ou avant. Comme nous n'affirmons pas non plus que cet enfant est encore vivant aujourd'hui; comme nous n'avons pas mené d'enquête sur ce point, nous n'en savons rien. Nous pensons seulement :

1. qu'une enquête devait pouvoir établir la vérité de manière incontestable. Or, elle n'a pas eu lieu.

2. que le corps de l'enfant que l'on nous montre à l'écran ne peut être celui d'un enfant atteint mortellement par des balles à haute vélocité.

*

Cependant, pour les professionnels qui ont commenté l'événement, la réaction spontanée que nous avons tous eue ne semble pas avoir été un aveuglement ni le résultat d'une hypnose, mais, au contraire, une réaction tout à fait normale et adaptée à la réalité des faits.

Nul d'entre eux n'a, en effet, affirmé avoir été intrigué par cette question de sang [1] lors des innombrables enquêtes ou arrêts sur image qui ont été réalisés à propos de ce dramatique événement. Le garçon est mort, et son père gravement blessé, a-t-on conclu, voilà tout.

Nous n'avons pas rencontré une seule personne qui se soit posé d'elle-même cette question. En revanche, nous avons constaté qu'une fois posée par nos soins, cette même question apparaissait bien comme s'imposant de manière évidente, d'autant qu'elle ne comportait aucune réponse, ni officieuse ni officielle.

Ce livre est né de cette insatisfaction.

Espérons qu'il aidera ces professionnels à prendre conscience qu'ils doivent au moins répondre à cette question pour faire cesser toute

---

1. Même *HonestReporting.com.*qui écrit, in *Enterrer les enfants* (*Burying the children*), le 5 avril 2001 : « Bien entendu, l'incident Muhammad al-Durrah a laissé de nombreuses questions sans réponses, les plus importantes étant : qu'est-ce que son père et lui faisaient au milieu des tirs croisés, si c'était une balle israélienne ou palestinienne qui l'avait atteint et comment les médias avaient pu être parfaitement placés pour filmer ». (« Of course, the Muhammad al-Durrah incident left a lot of questions unanswered, the most important being what he and his father were doing in the heart of crossfire shooting, whether it was actually an Israeli or Palestinian bullet that struck him, and how the media came to be perfectly placed to photograph it »).

interrogation, voire contredire notre contre-expertise.

Car il existe une grande différence entre eux et le grand public. Si l'aveuglement de ce dernier est excusable, celui de ces professionnels l'est beaucoup moins. En effet, leurs activités les obligent à visionner, puis visionner à nouveau, les images qu'ils produisent et diffusent, afin de s'assurer qu'ils informent honnêtement les téléspectateurs, alors que les téléspectateurs, eux, ne peuvent le faire que sous l'emprise du plaisir et de l'émotion.

Or, la mort d'un enfant est un scandale intime qui non seulement révulse le téléspectateur, mais le détourne de toute envie de la revoir.

L'attitude du téléspectateur est en effet très différente de celle des personnes qui, engagées dans un combat, ont les yeux rivés sur l'instantané télévisuel de la mort du garçon, au point de le reconnaître plus tard avec fierté sur les murs des rues et des écoles, et même sur un timbre.

Aussi, pour le téléspectateur, l'idée de revoir cette image, et surtout la séquence complète des images dans laquelle la mort du garçon prend place, n'est-elle acceptable qu'à la condition que la télévision l'y invite, c'est-à-dire à la condition qu'elle le convainque qu'elle ne peut faire autrement que de lui imposer cette épreuve, du moment qu'un problème se pose, et que c'est le seul moyen de l'aider à l'analyser et à le comprendre.

C'est une question de respect. Respect de l'information, bien sûr, mais surtout respect de la personne humaine. Comme la télévision publique ne l'y invite pas, c'est donc par respect pour cet enfant réputé mort et son père réputé gravement blessé que, convaincus au départ que le drame a vraiment eu lieu, nous devons prendre le risque de revoir les images qui le décrivent, à partir du moment où nous estimons qu'un important problème concernant son déroulement n'a pas été élucidé.

*

Au moment d'écrire sur la « mort blanche » de l'enfant palestinien que l'on voit dans le reportage de France 2, l'auteur est encore plein des questions qu'il s'est posées et des problèmes qu'il a voulu résoudre. Le mieux est donc que le lecteur les découvre au fil de la contre-expertise, sans qu'elles lui soient présentées avec une idée préconçue, ni alibi, mais de manière systématique et chronologique.

Il existe bien des émissions qui font « arrêt sur image » [1], mais, la plupart du temps, il faut que

1. Comme celle qui porte ce nom sur France 5 et qui a eu lieu sur le sujet qui nous intéresse le 3 novembre 2002.

le sujet ait déjà franchi la barre des professionnels de la télévision pour être traité plan après plan.

C'est regrettable. Les gens ont confiance en la télévision, et si, par exemple, un commentaire inadéquat à la réalité a été donné un jour, rien ne les préoccupe vraiment qui le concerne tant que la télévision elle-même ne s'est pas emparée du sujet. Ce qui veut dire : tant qu'elle ne s'est pas expliquée sur ce sujet.

S'agissant du reportage qui nous occupe, à notre connaissance, seule la chaîne allemande ARD a cherché à vérifier le bien-fondé du commentaire qui l'accompagne. De nombreuses chaînes ont, certes, développé des sujets dans lesquels la mort de Mohamed Al Dura et les blessures sévères de son père ont tenu une place importante, mais ARD a été la seule à prendre la décision de mener une contre-enquête et de rendre publiques ses conclusions.

A quoi il faut ajouter que même lorsque la journaliste de cette chaîne, Esther Schapira, a fait savoir qu'il y avait un vrai problème journalistique, aucune autre chaîne n'a jugé bon de relayer son message.

En conséquence, l'auteur a conscience qu'il va demander un effort particulier au lecteur. Il attend de lui qu'il fasse mieux qu'un professionnel de l'image.

Il faudra qu'il soit patient et qu'il l'accompagne dans la démonstration de ce qu'en toute impartialité il a à dire sur l'étrangeté des images de la mort d'un enfant, nommé Mohamed Al Dura. Mais il faudra surtout qu'il dépasse son rapport à l'autorité et accepte l'hypothèse que, sur ce sujet, la télévision ait pu ne pas avoir été à la hauteur de la situation médiatique de l'information.

Autant dire que chercher à faire de ce livre une chasse à la sorcière serait particulièrement déplacé.

Des images ont été filmées. Parmi elles, certaines ont été sélectionnées en fonction de l'actualité qui a été décrite ce jour-là par les correspondants locaux des agences de presse. Cette sélection est parvenue comme « news » jusqu'au cœur des rédactions de tous les pays. Apparemment, personne ne s'est soucié de savoir si ces « news » contenaient une erreur plus ou moins grave de commentaire, voire de la fiction. Personne ne semble s'être soucié de savoir si ces « news » étaient des « news » jusqu'au bout.

Le saisissant reportage de France 2 a fait alors l'objet de nombreux prix [1], tous plus élogieux les uns que les autres.

Puis, il y a eu une mise en doute profonde du sens de ces « news » par Esther Schapira, sans

1. Voir le quatrième chapitre.

qu'il s'ensuive quelque débat public que ce soit sur un éventuel conflit des interprétations, et encore moins sur l'hypothèse d'une fiction contenue à l'intérieur desdites « news ».

Le but de ce travail est d'ouvrir la voie à l'établissement de la vérité de l'information.

*

Nous combattons les négationnistes [1], c'est-à-dire ceux qui nient l'existence de la réalité d'un fait qu'ils ont vu en personne, ou dont ils savent pertinemment qu'il a eu lieu.

Les négationnistes ne sont pas des poètes, des romanciers, des dramaturges, ou des créateurs, au sens général du terme, qui, parfois, écrivent, peignent ou sculptent autant le rapport fantasmatique qu'ils entretiennent avec la réalité que la réalité elle-même.

Ce sont des professionnels du déni [2] qui, pour des raisons d'économie psychique interne ou de basse propagande, remplacent leur rapport à la

---

1. Nous combattons également la transformation de ce combat en alibi, comme celle de Sylvain Cypel, (In *La sale rumeur*, *Le Monde*, daté du 26 octobre 2002, supplément Télévision), qui tente de délégitimer une enquête afin de ne pas prendre connaissance de son contenu. Voir le quatrième chapitre.

2. Sur ce sujet, lire Gérard Huber, *L'Enigme et le Délire*, Paris, Osiris, 1986.

réalité par sa reconstruction, après en avoir dénié l'existence, et qui tentent de nous faire croire que la fausse réalité est la vraie réalité.

Parfois, ce négationnisme relève de la schizophrénie, au sens psychopathologique du terme, et oublie jusqu'à l'existence même de la réalité comme telle.

Si nous sommes parvenus à poser des questions très précises sur une différence essentielle entre le commentaire initial qui accompagne le reportage télévisuel de France 2 et la réalité qu'il montre, nous n'accusons personne de manipulation.

Nous disons bien sincèrement que nous ne savons pas à qui attribuer le truchement manipulatoire dévoilé dans le dernier chapitre du livre. Nous n'avons, en effet, en aucune manière, cherché à réunir quelque information que ce soit qui puisse nous orienter sur ce point et nous n'en possédons aucune. (Cet objectif ne nous intéresse pas). Nous laissons à d'autres le soin de tirer les conclusions qu'ils veulent, sur ce point et sur d'autres, du moment qu'elles sont étayées par des enquêtes dignes de ce nom.

Quant à nous, nous ne nous prononcerons sur d'éventuelles déductions que si nous détenons des preuves formelles confirmant ou invalidant ce qui aura été avancé.

Que l'on ne cherche donc pas de bouc émissaire dans ce livre.

Il n'y est fait le procès de personne. L'auteur n'est pas un inquisiteur. Il examine seulement des faits, des images, des écrits et des interviews (faits par d'autres ou par lui-même). Et il en fait l'anatomie [1].

L'auteur n'accuse pas les Palestiniens de vouloir inventer une guerre qui n'aurait pas lieu. Mais, justement, parce que cette guerre s'accompagne d'un nombre inadmissible et insupportable de victimes civiles palestiniennes et israéliennes, l'auteur est convaincu qu'en hommage aux enfants qui ont été tués des deux côtés, il doit livrer les résultats de cette contre-expertise sur une séquence d'images qui a projeté son empreinte sur l'opinion publique mondiale [2].

L'auteur agit seulement comme un intellectuel qui considère que la liberté d'opinion n'est jamais plus authentique que lorsque la vérité de l'information est établie.

---

1. En tant qu'écrivain, dois-je rappeler que j'ai récemment pris publiquement position contre la mise à l'index de tel ou tel, d'abord parce que c'est un procédé qui m'est profondément étranger, que je n'ai jamais pratiqué et que je ne pratiquerai jamais, ensuite parce le seul problème qui me préoccupe est celui de l'établissement de la vérité de l'information. Voir #info de La Ména n° 012709/2, Ménapress.com.

2. A titre personnel, j'ai eu plusieurs fois l'occasion de rappeler mon engagement pour une paix librement consentie par les Palestiniens et les Israéliens et mon opposition à l'oppression sous quelque forme que ce soit (politique, militaire, terroriste...).

Chacun est donc libre de contester ses arguments, y compris la vérité de ce que montre le matériel journalistique sur lequel il s'appuie, du moment qu'il leur oppose de vrais arguments et qu'il fait référence au même matériel qui aurait été mal interprété, ou à un autre matériel que l'auteur ne connaît pas et qui viendrait contredire ses conclusions.

Car, qui peut prétendre connaître l'ensemble du dossier de ce qu'il ne sera pas souhaitable d'appeler « L'affaire Mohamed Al Dura », au terme de ce livre ? L'auteur ne prétend donc nullement à l'exhaustivité.

D'innombrables articles de presse, reportages conférences et prix des médias sillonnent la vie et l'histoire de ce reportage [1]. Le but de cet ouvrage n'est pas d'en faire une recension. Là encore, ce serait l'objet préliminaire d'une thèse que nous laissons à d'autres.

Autant dire aussi que l'auteur ne revendique pas quelque originalité que ce soit non plus. Des journalistes ou des enquêteurs parfois très perspicaces l'ont précédé, malheureusement souvent trop pressés de parvenir à des conclusions, quand

1. Bien que nous devions constater l'étrange statut journalistique, audiovisuel et internautique de ces images, puisqu'il n'existe pas de livre sur le débat qui nous occupe, comme j'ai pu le constater à la Bibliothèque de l'Institut de Monde Arabe (Paris), notamment.

ils n'étaient pas convaincus qu'ils savaient d'avance ce qu'ils allaient trouver dans l'analyse des documents.

La spécificité de ce travail tient seulement au fait d'avoir voulu décrypter méthodiquement tout ce qui, ayant un rapport avec cet événement, est tombé sous la main ou est passé devant les yeux de l'équipe.

Du même coup, l'auteur attend la même rigueur de ses lecteurs.

Ceux-ci doivent s'imprégner de ce constat : selon la logique de la vie, un « événement », c'est ce qui arrive par surprise. Mais, selon la logique des médias, c'est ce qu'on ne doit pas manquer.

Or comme le hasard ne fait pas bien les choses, comme il est excessivement rare qu'un journaliste se trouve « par hasard » là où se déroule un véritable événement de la vie, un événement médiatique est la plupart du temps une rencontre programmée, une construction, voire une reconstruction qui laisse très peu de place à l'imprévu. C'est pourquoi, lorsque « l'imprévu » est filmé en direct, on est en droit de se poser quelques questions.

C'est sur cette ambiguïté, voire sur cette contradiction, que repose une grande partie du malentendu et du malaise de la civilisation audiovisuelle contemporaine. Il n'y avait aucune chance que le conflit du Proche-Orient y échappât.

Toute information-radio ou télévisuelle est « promptée », y compris celle qui résulte des « micro trottoirs ». Ce n'est pas seulement le cas au moment de diffuser l'information, c'est le cas dès sa captation. Lorsqu'elle est enregistrée par les médias, l'information est, à sa source, appréhendée à partir d'une grille d'enquête professionnelle et déontologique expérimentée. Le résultat qui est livré ne consiste pas à restituer cette information selon la logique de la vie qui sourd derrière, mais à surinterpréter la logique médiatique qui lui donne son sens dans le cadre de la diffusion.

Pour prendre une comparaison, un commerçant n'a pas le droit de vendre un litre de lait qui serait soustrait aux normes requises pour sa commercialisation. Au contraire, il doit chercher à mettre en évidence qu'il les a bien respectées.

Il en est de même pour les reportages audio et télévisuels. Ils commencent par être enregistrés selon des normes, puis ils sont diffusés comme autant de produits qui ont fait la preuve en cascade que ces normes ont été respectées.

Chaque produit (consommation, communication...) est le résultat d'une déconstruction de ce qu'il contient de naturel et de spontané et d'une métamorphose, voire d'un renversement, de cette déconstruction en logique de construction [1].

---

1. Sur la déconstruction, lire mon livre *Anatomie de la séparation – réponses à Jacques Derrida*, De Bœck Université, 2002.

En conséquence, la vérité des images de la mort de Mohamed Al Dura ne peut être établie que si la contre-expertise révèle la logique de déconstruction de l'événement initial qui a organisé son élaboration médiatique.

Dans ce livre, nous limiterons les considérations théoriques sur la communication audio et télévisuelle à ce qui vient d'être écrit. L'enquête se déroulera comme suit :

Le premier chapitre détaille le reportage concerné, témoignages à l'appui.

Dans le deuxième, il est fait état des questions qui se sont posées, d'abord à la lecture des preuves et enquêtes des différents partis en présence, puis, lors du visionnage de la reconstitution des événements de Netzarim que Esther Schapira a réalisée.

Le troisième chapitre procède à la déconstruction des aspects légendaires de la mort de l'enfant.

Enfin, le quatrième chapitre rend compte de la contre-expertise qui émerge à partir de rushes qui ont été filmés par d'autres cameramen que celui de France 2 sur les événements de Netzarim, même si ces rushes ne portent pas sur la scène de la mort de l'enfant.

*

Ce livre n'aurait jamais pu voir le jour sans la Ména (Metula News Agency, Ménapress.com), l'agence de presse francophone internationale dont la rédaction est basée dans le nord d'Israël et dont les journalistes appartiennent à de nombreux pays (Liban, Autorité Palestinienne, France, Belgique, Etats-Unis...).

La plupart des médias du monde traitent l'information à partir de leur grille d'interprétation. Celle-ci peut être idéologique ou corporatiste. La Ména, qui n'est pas un nouveau Zorro médiatique, mais seulement une équipe de journalistes qui ont décidé de travailler ensemble par-delà leurs différences ethniques, culturelles ou géopolitiques, a pris le parti (et fort heureusement elle n'est pas la seule) de l'information de proximité et de la réinformation, contre la rumeur, la désinformation et la propagande.

Lorsqu'un fait se produit quelque part, il est immédiatement interprété par les acteurs ou les témoins qui y ont participé. Par la suite, parfois en très peu de temps, il fait l'objet d'un relais lui-même interprétatif. La surinterprétation est donc inscrite dans l'existence même du fait qui est devenu l'objet d'une information médiatique.

Une surinterprétation qui s'écarte de la vérité de l'événement, voilà ce que l'on appelle une rumeur. L'idée qu'il n'y a « pas de fumée sans feu » signifie seulement qu'à partir de n'importe quel feu, que celui-ci se déclare naturellement, par un concours de circonstances, ou qu'il soit allumé délibérément, la surinterprétation peut quitter sa connexion avec la réalité et ne s'alimenter que d'elle-même. Elle est alors une forme de délire.

Du même coup, une rumeur peut également être un objet de fabrication. Il y a toujours une ou plusieurs personnes à la source d'une rumeur, mais la naissance de cette rumeur n'est pas nécessairement intentionnelle. Lorsqu'elle l'est, c'est comme partie d'une stratégie de propagande, c'est-à-dire *de la construction d'une fausse information à partir d'une réalité vraie.* La base de la propagande est donc la désinformation.

Mais, toute désinformation n'est pas nécessairement de la propagande. C'est sans doute ce fait qui est le plus difficile à admettre aujourd'hui. Lorsqu'il y a désinformation, on s'imagine qu'il y a nécessairement volonté idéologique de tordre le cou à la vérité dans le dessein de faire triompher le mensonge. Or, ce serait avoir une vision erronée du travail des journalistes qui, accidentellement, font de la désinformation (s'ils le font de manière systématique, ils versent dans la propagande), que de croire qu'ils savent d'avance quelle est la vérité de l'information qu'ils livrent et que c'est dans une optique délibérée qu'ils en donnent une version erronée.

Un journaliste peut, en effet, signer une version erronée des faits sans poursuivre de but intentionnel.

Deux phénomènes doivent être pris en considération : le fait qu'il n'est pas seul, mais qu'il appartient à une rédaction, et le fait qu'il est habitué à une autocensure intérieure. Il n'existe que peu de conflits profonds à l'intérieur des rédactions. Quelles que soient les différentes perceptions, les journalistes aboutissent toujours à une version lisse des faits qui satisfait les décisionnaires de l'organe de presse. L'autocensure fait le reste. Et lorsque des journalistes en rupture de ban fondent un nouvel organe, c'est bien souvent ce processus qui, par-delà les premiers effets décapants, se reconstitue. D'aucuns appellent ce phénomène le « journalistiquement correct ».

Dire que la Ména maîtrise toutes ces dérives possibles serait sans doute présomptueux. Mais ce qui est certain, c'est que l'autocensure n'y est pas un sujet tabou, c'est même un sujet dont elle parle librement dans ses dépêches.

D'abord, elle considère que l'autocensure du journaliste n'est qu'un cas particulier de l'autocensure générale qui, par-delà la prétendue transparence, est une des conditions du fonctionnement actuel de notre société.

Ensuite, elle pense que c'est au prix d'une lutte sérieuse contre sa propre autocensure que le journaliste a une chance d'interpréter correctement la réalité.

Enfin, la lutte contre l'autocensure n'est pas une condition suffisante pour ne pas produire ou reproduire les effets de l'autocensure même.

Ce combat est d'autant plus difficile que, s'agissant du conflit israélo-palestinien, le journaliste se heurte à une difficulté majeure : sa « surmédiatisation », c'est-à-dire sa couverture démesurée depuis plus de deux ans, en regard de la médiatisation de nombreux autres conflits dans le monde. Depuis le début de la seconde Intifada, la guerre entre ces deux peuples a généré une masse impressionnante de faits et de reportages.

Or ceux-ci, pour n'avoir aucune relation directe avec l'événement en question, ne manquent pas de peser de tout leur poids, quasiment comme une chape de plomb, sur toute tentative de relecture dudit événement.

Il est donc essentiel que ledit journaliste veille à ne pas donner un sens rétrospectif à un événement en faisant un trait sur ce que l'on savait réellement à l'époque de l'événement même. Au contraire, il doit demeurer dans le cours progressif de l'information.

C'est pourquoi, ce livre s'efforcera de faire le point exact de l'information disponible, le 30 septembre 2000 et peu après. Et il en suivra la trajectoire jusqu'à nos jours.

*

Sans mes proches et mes amis, ce travail n'aurait pu être mené avec autant de sérénité, de patience et de précision.

Je remercie La Ména et, plus particulièrement, son rédacteur en chef, Stéphane Juffa, de m'avoir donné accès au matériel dont elle dispose. Je remercie également Nahum Shahaf, l'enquêteur israélien qui a collecté d'innombrables heures de tournages et autres reportages de diverses télévisions et qui a eu la patience de donner une lecture détaillée d'une bonne partie d'entre elles à l'équipe de ce livre.

Enfin, que Madame Yaël König, éditrice, soit également remerciée, elle qui a pris une part essentielle dans la décision de l'écrire.

CHAPITRE I

ANATOMIE DU COMMENTAIRE DE FRANCE 2

Ni rire, ni pleurer, comprendre.
SPINOZA

Voici le commentaire que Charles Enderlin fait des images de la mort de Mohamed Al Dura et de celles des événements majeurs survenus le 30 septembre 2000 dans les Territoires autonomes palestiniens. Ces images sont diffusées par France 2 et données gratuitement à toutes les chaînes de télévision du monde entier.

« Quinze heures. Tout vient de basculer près de l'implantation de Netzarim, dans la Bande de Gaza. Les Palestiniens ont tiré à balle réelle, les Israéliens ripostent. Ambulanciers, journalistes et simples passants sont pris entre deux feux ».

« Ici Jamal et son fils Mohamed sont la cible des tirs venus des positions israéliennes. Mohamed a douze ans ; son père tente de le protéger. Il fait des signes... ».

« Mais une nouvelle rafale. Mohamed est mort et son père gravement blessé. Un policier palestinien et un conducteur d'ambulance ont également perdu la vie au cours de cette bataille.

En Cisjordanie aussi, de très violents affrontements ont fait des morts et de nombreux blessés. A l'entrée de Bethléem, des centaines de jeunes Palestiniens ont attaqué la position israélienne. Les garde-frontières les ont repoussés avec des bombes lacrymogènes et des balles caoutchoutées. Des scènes identiques se sont déroulées à Hébron où plus de quatre-vingts manifestants ont été blessés. Au nord de Ramallah, un mort et soixante blessés palestiniens, mais aussi des soldats touchés par des jets de pierres.

Marwan Barghouti, le chef du Fatah pour la Cisjordanie, était sur place. « Nous nous battrons pour la souveraineté sur Jérusalem, nous nous battrons contre Sharon. On était là quand il est venu visiter les mosquées. C'est notre message : pas de paix sans Jérusalem. Jérusalem est la clé de la paix dans la région ».

Les obsèques de l'adolescent tué à Ramallah auront lieu demain. Son père doit rentrer de Jordanie où il était en voyage ».

*

Nous limiterons notre analyse aux images et au commentaire qui concernent exclusivement la mort de l'enfant et les blessures de son père, en comparant le discours de Charles Enderlin avec celui qu'il tiendra, près de deux ans plus tard, dans son livre *Le Rêve brisé.*

1. « Quinze heures. Tout vient de basculer près de l'implantation de Netzarim, dans la bande de Gaza ».

La scène se passe au Carrefour de Netzarim, une implantation israélienne, selon le terme employé par les Israéliens, une « colonie », selon les Palestiniens.

Dans son livre, Charles Enderlin utilisera d'ailleurs ces deux termes (« implantations » et « colonies ») en écrivant ceci : « Le 30 septembre marque un tournant...Un autre drame (que celui du nord de Ramallah/NDA) se déroule devant la position militaire qui défend les approches de l'implantation Netzarim, dans le centre de la bande de Gaza. Cette colonie, occupée par une quinzaine de familles israéliennes, contrôle la route principale qui traverse ce territoire du nord au sud ; c'est pourquoi, aux yeux des Palestiniens, elle est un symbole de l'occupation » [1].

1. In *op. cit.*, Paris, Fayard, 2002, p. 290.

2. Les Palestiniens ont tiré à balles réelles, les Israéliens ripostent. Ambulanciers, journalistes et simples passants sont pris entre deux feux ».

Dans son livre, Enderlin poursuivra en ces termes : « Depuis les meurtrières du fortin, des grenades lacrymogènes et des tirs de balles caoutchoutées répondent aux jets de pierres et aux cocktails Molotov. Au croisement, camions, taxis et ambulances continuent de passer. Abdel Hakim Awad, le chef du Chabiba à Gaza, est sur place. Il explique à Talal Abou Rahmeh, le correspondant de France 2 à Gaza, que « ces manifestations vont durer deux ou trois jours ». « Elles sont, ajoute-t-il, destinées à montrer au gouvernement israélien que les Palestiniens ne renonceront jamais à Al-Aqsa ». Subitement, des rafales d'armes automatiques retentissent. Qui a ouvert le feu ? Les Palestiniens accuseront les Israéliens, qui démentiront » [1]. Près de deux ans plus tard, Enderlin aura donc modifié son premier commentaire.

3. « Ici Jamal et son fils Mohamed sont la cible des tirs venus des positions israéliennes. Mohamed a douze ans ; son père tente de le protéger. Il fait des signes... Mais une nouvelle rafale :

1. Idem.

Mohamed est mort et son père gravement blessé ».

Enderlin, dans son livre : « Pris sous les tirs croisés, Talal Abou Rahmé est réfugié derrière une camionnette. Il découvre devant lui un père et son fils cherchant à se protéger derrière ce qui paraît être un baril de béton. Pendant de longues minutes, ils semblent en sécurité, mais soudain ils sont pris pour cible. Selon tous les témoins de la scène, les balles qui vont bientôt blesser l'enfant mortellement proviennent de la position israélienne. Le père, de son côté, est sérieusement touché » [1].

A nouveau une nuance : ce n'est plus Enderlin qui affirme que les tirs proviennent des positions israéliennes, mais « tous les témoins de la scène ».

Qui sont-ils ? Quels sont leurs noms ? Deux ans plus tard, on ne le saura toujours pas [2].

---

1. *Ibid.*, p. 291.
2. Lire ma dépêche : *Vers la brisure du Rêve brisé* ? (info # 010109/2). J'y écrivais notamment : « le terme de « témoins » exclut qu'il s'agisse de combattants palestiniens ou de soldats israéliens (ceux-là sont partis, pas témoins NDR.). S'agit-il alors de journalistes, et Enderlin peut-il s'engager sur leur impartialité ? A moins qu'il ne s'agisse de « spectateurs », si tant est qu'il y en eut ; mais alors, il les a sûrement enregistrés, lui qui ne cesse de faire état, dans son livre, de vidéos témoignant de la véracité des propos des leaders israéliens, palestiniens, américains etc. qu'il relate ? Malheu-

4. « Un policier palestinien et un conducteur d'ambulance ont également perdu la vie au cours de cette bataille ».

Le livre, quant à lui, relate que « Trois Palestiniens trouvent la mort à Gaza ce jour-là » [1].

Il existe donc deux différences essentielles entre le commentaire « à chaud » de Charles Enderlin et la description à distance qu'il donne dans son livre :

1) Il est dit, à chaud, que ce sont les Palestiniens qui prennent l'initiative de tirer et les Israéliens qui ripostent. Mais il est dit, à froid, que les Israéliens sont accusés par les Palestiniens d'avoir ouvert le feu.

Pour le dire autrement, le journaliste ne sait plus exactement qui a commencé.

2) Il est dit, à chaud, que « Jamal et son fils Mohamed sont la cible des tirs venus des positions israéliennes ».

---

reusement, le livre de Charles Enderlin n'apporte aucune réponse à toutes ces questions. En effet, ces témoins ne sont pas nommés ».

1. Idem

Ce qui signifie que les Israéliens tirent délibérément sur l'enfant et son père, qu'ils ont pris pour cible. Selon le *Grand Robert*, une « cible » est, en effet, un but que l'on vise et contre lequel on tire avec une arme lançant un projectile. Prendre quelque chose pour cible, c'est le viser avec précision [1] ».

En conséquence, selon Enderlin, les Israéliens tentent de blesser ou d'assassiner l'enfant et son père. Mais, ils n'y parviennent pas tout de suite. Pourquoi ? Il n'y a pas de réponse. S'ils parviennent quand même à tuer le fils et à blesser son père, cela signifie que tous deux sont visibles de la position israélienne. Or, si les soldats israéliens tirent en rafale, à moins de penser qu'ils ne savent pas tirer, il est incompréhensible qu'ils n'aient pu le tuer plus tôt. Donc, soit ils ne les voient pas, ni au début, ni après, soit ils les voient et, s'ils veulent les blesser ou les tuer, on ne comprend pas comment ils peuvent les manquer.

---

1. In *Le Grand Robert de la langue française*, Paris, Dictionnaire Le Robert, 2001, II, p. 136. Pourtant, Amnesty International affirme le 21 février 2001 (in EFAI Index AI : MDE 15/005/01 Document public, Londres : Israël et Territoires Occupés – assassinats commis sur ordre de l'Etat et autres homicides illégaux) que c'est depuis le 9 novembre 2000 que « les Forces de défense d'Israël (FDI) ont mené une politique qui consistait à prendre délibérément pour cible les individus soupçonnés d'avoir lancé ou planifié des attaques violentes contre des ressortissants israéliens ».

Mais, à froid, la version apporte quelques précisions au milieu même de ses incohérences : pendant de longues minutes, et malgré les rafales, l'enfant et son père *semblent* en sécurité. Ce qui signifie qu'au moins pendant un certain temps, ils *sont* en sécurité. Pourquoi, puisque les Israéliens auraient décidé de blesser ou de tuer l'enfant et seraient en train de tirer ? Une réponse s'impose : parce qu'ils ne peuvent être vus.

Or, soudain ils sont pris pour cible. Aussi, du point de vue même du discours d'Enderlin, la question suivante se pose : qui s'est déplacé ? Le fils et son père, ou les soldats israéliens ? Ces derniers, c'est impossible. On sait qu'ils sont restés à l'intérieur du fortin. Personne ne parlera jamais d'une quelconque sortie des soldats israéliens. Aucune image n'en fera état.

Ce ne peut donc être que le fils et son père. Ils se seront déplacés de l'endroit où ils étaient en sécurité et se seront mis à découvert malgré eux. C'est à ce moment-là que les Israéliens les auront délibérément tués.

Oui, mais voilà : les images montrent que c'est à côté d'un baril qui les protégeait, et non à découvert, que l'enfant est mort et que son père a été blessé. En conséquence, ils paraissent ne pas avoir bougé [1].

---

1. Cette information sera confirmée, lorsque nous apprendrons, plus tard, au cours de notre contre-expertise qu'ils ne

Alors comment ont-ils pu être tout à la fois pris pour cible, être en sécurité, puis être tué pour l'un, blessé pour l'autre ?

Les informations qui font l'objet du commentaire initial de Charles Enderlin proviennent pour l'essentiel du témoignage du photographe de France 2, Talal Abu Rahmé. Or, celui-ci a fait une déclaration sous serment le 3 octobre 2000 au Palestinian Centre for Human Rights. Ce témoignage nous permet de prendre connaissance des circonstances de la mort de l'enfant telles qu'elles sont décrites par un de ceux dont Enderlin dit qu'ils ont été témoins de la scène [1] :

« Je, soussigné, Talal Hassan Abu Rahma, résident de la bande de Gaza portant le n° d'identité 959852849, déclare ce qui suit sous serment,

---

bougent pas, même lorsqu'une foule s'enfuit, en passant devant eux.

1. « Par la présente, j'ai rendu témoignage sous serment, de mon plein gré et après avoir reçu notification légale. Je jure que tout ce qui précède est vrai et conforme à la réalité et à la loi ». Signé : Talal Hassan Abu Rahma, Gaza, 3 octobre 2000. « Cette déclaration a été faite devant moi et en ma présence, après avoir donné notification légale, et sous serment ». Signé : Maître Raji Sourani, Gaza, 3 octobre 2000. Source : © Solidarité-Palestine – E-mail : webmaster@solidarite-palestine.org. Dans le troisième chapitre, je fais état du démenti apporté par Abu Rahma sur l'essentiel du contenu de son témoignage.

après avoir reçu notification légale de Maître Raji Sourani, et de mon plein gré, concernant le meurtre de Mohammed Jamal Al-Durreh et les blessures infligées à son père Jamal Al-Durreh, tous deux touchés par des tirs des Forces israéliennes d'occupation »....

Le photographe de France 2 est catégorique. Ce sont bien les Israéliens qui ont tué Mohammed et blessé Jamal. Ceci explique que Charles Enderlin ait affirmé qu'ils étaient « la cible » des forces israéliennes. Mais que contient vraiment son témoignage ?

« Je travaille comme correspondant de la chaîne française de télévision France 2. Le 30 septembre 2000, je me trouvais pour mon travail dans le quartier de Netzarim depuis 7 h 00, effectuant un reportage sur les affrontements. A midi, alors que je m'apprêtais à terminer mon travail et à retourner au studio de télédiffusion, j'ai entendu de vives fusillades partant de toutes les directions. A ce moment, je me trouvais dans la partie nord de la rue menant au carrefour Al-Shohada (carrefour de Netzarim). De là où je me trouvais, je pouvais voir et observer l'avant-poste des militaires israéliens au nord-ouest du carrefour, ainsi que les deux immeubles d'appartements palestiniens situés au nord du carrefour. Je pouvais également voir l'avant-poste des forces de sécurité de l'Autorité Palestinienne, situées au sud du carrefour, et un autre poste avancé des Palestiniens, 30 mètres plus loin qui constituait un poste provisoire où des membres des forces palestiniennes faisaient la pause »....

Le cameraman de France 2 nous apprend que des affrontements (apparemment sans tirs) ont commencé à 7 h 00, à moins qu'il s'agisse d'un reportage sur des personnes qui se trouvent là, dans le cadre des affrontements (au sens général du terme, qui ont commencé depuis deux jours). A midi, il entend de vives fusillades partant de toutes les directions. De là où il se trouve, il a une vue sur tous les protagonistes.

« Soudain, des tirs nourris commencèrent en travers de la rue, qui a une largeur d'une trentaine de mètres. Shams Oudeh, un photographe de l'agence Reuters, frappa mon attention, parce qu'il se tenait auprès d'un homme et d'un enfant (Jamal et son fils Mohammed). Tous trois se réfugiaient derrière un bloc de béton. Ce que le journaliste était en train d'observer attira mon attention. Je tentai de mettre au point sur l'avant-poste des forces de sécurité de l'Autorité Palestinienne, d'où les tirs étaient partis, et sur lesquels tirait à son tour l'armée israélienne, pendant les premières minutes ».

Talal Abu Rahmé confirme ce que dit le commentaire de Charles Enderlin, à savoir que les tirs sont partis des forces palestiniennes et que l'armée israélienne a riposté. Mais il nous apprend que le cameraman de Reuters était réfugié près du même bloc de béton que le père et le fils. Celui-ci a donc pu prendre des images du père et de l'enfant avant de s'enfuir.

Ce cameraman a eu le temps, chose inhabituelle en temps de guerre, et de toute façon à peine croyable si les balles sifflaient de partout, de poser son trépied tout près des personnes en danger, d'y placer sa caméra, puis de l'enlever et de s'installer près du garçon et de son père, la caméra sur l'épaule, puis de s'enfuir, abandonnant son trépied, encore visible dans le reportage de France 2.

Car, s'il a rejoint le père et l'enfant, est-ce en raison du danger ou parce qu'il voulait les filmer le plus près possible ? Et s'il a pu auparavant installer tranquillement son trépied, est-il possible de croire qu'il y avait un tel danger au point qu'il dût se protéger, là où se trouvaient l'enfant et son père ? Et pourquoi, dans ces conditions, Talal Abu Rahmé ne l'a-t-il pas filmé, tandis qu'il était près d'eux ? Et, s'il l'a bien filmé, pourquoi a-t-on retiré ces images du reportage ?

Poursuivons : imaginons que ce même cameraman de Reuters ait posé son trépied à un moment où il n'y avait pas de danger, et que, lorsque la menace s'est précisée, il se soit sauvé à toute allure et ait été contraint d'abandonner son trépied. Deux nouvelles questions se posent :

1. Si les images dans lesquelles on voit le père et l'enfant tapis derrière ce bloc ont été prises après le départ du cameraman de Reuters, n'existe-t-il pas d'autres images qui montrent comment le père et le fils sont parvenus à se cacher derrière le baril ? Peut-on, en effet, raisonnablement penser que, si le cameraman de France 2 a remarqué celui de Reuters en train de voir quelque chose, aucun cameraman – et surtout pas celui de Reuters – n'a vu le père ni l'enfant se cacher derrière le baril ? Et si ces images existent, pourquoi, au moment du cadrage du reportage, n'a-t-on pas jugé utile de nous les montrer ? Ne nous auraient-elles pas aidé à comprendre la situation ?

2. Si des images existent – et elles existent ! – qui montrent que, soudain, des personnes s'enfuient devant le père et l'enfant, tandis que ceux-ci demeurent immobiles derrière le baril [1], pourquoi ne figurent-elles pas dans ce même reportage ? Là encore, elles auraient pu éclairer la compréhension du téléspectateur.

---

1. Plus tard, Enderlin se posera cette question. Il interprétera alors leur comportement comme celui de personnes immobilisées par la peur (voir plus loin).

« Soudain, j'entendis le cri d'un enfant. A ce moment, je braquai ma caméra sur le petit Mohammed Jamal Al-Durreh qui venait d'être touché à la jambe droite. Le père tentait de calmer son enfant, de le protéger et de le couvrir avec ses mains et son corps. Parfois, le père levait les mains pour demander de l'aide. Les autres détails de l'incident sont tels qu'on peut les voir dans le film. J'ai passé environ 27 minutes à filmer l'incident qui dura au total 45 minutes. Après que le père et l'enfant ont été conduits à l'hôpital en ambulance, je suis encore resté 30 ou 40 minutes. Je n'arrivais pas à quitter le quartier, parce que tous ceux qui s'y trouvaient, moi compris, se trouvaient en danger, exposés aux tirs ».

Nous nous trouvons devant une difficulté certaine. En effet, si nous apprenons que la première balle qui touche l'enfant le blesse à la jambe droite (le père précisera « au genou »), nous apprenons aussi que le père tente de couvrir l'enfant « avec ses mains et son corps ». Ce qui signifie que les balles ne peuvent venir que d'une position vis-à-vis de laquelle le père se perçoit comme faisant écran pour le fils.

Mais, au moment d'en apprendre plus, et notamment si cette position est bien celle du fortin israélien, le cameraman nous renvoie... au film ! Nous espérions compter sur ce témoignage pour éclairer les aspects incertains du film, et nous voilà contraints de revenir au film pour approfondir le témoignage.

Or nous devons poser ici une question extrêmement simple : de quel film s'agit-il ? Des 50 secondes que France 2 a diffusées dans le monde entier, ou des 27 minutes ? S'il s'agit des 50 secondes, nous avons constaté que le film n'éclaire pas le témoignage. S'il s'agit des 27 minutes (qu'en langage journalistique on appelle des « rushes »), il se peut qu'elles l'éclairent, mais aucun téléspectateur ne les a vues.

Tout porte à croire que la scène où l'on verrait le père et l'enfant être conduits à l'hôpital en ambulance se trouve aussi dans ces rushes de 27 minutes, ainsi que bien d'autres scènes encore, et tout porte à croire que France 2 a choisi de n'en diffuser que 50 secondes.

Pourquoi pas ! Quelques semaines plus tard, Charles Enderlin s'expliquera d'ailleurs plus largement sur ce sujet en ces termes :

« A aucun moment, je n'ai eu de doute sur la pertinence à montrer ces images. Le jour de la mort de Mohammad Al-Doura ? J'étais à Ramallah y filmant les accrochages et interviewant Marwan Barghouti, le chef du Fatah (le parti de Yasser Arafat) pour la Cisjordanie. Mais j'étais en contact permanent avec Talal qui filmait les affrontements au carrefour de Netzarim à Gaza. J'entendais le sifflement des balles dans mon portable. Talal m'a demandé de m'occuper de ses proches si jamais il était tué. Quand les tirs se sont calmés, Talal a pu regagner son bureau pour m'envoyer sa bande.

A mon avis, il était indispensable de montrer ces images pour faire comprendre la réalité du conflit.

Le débat avec la rédaction à Paris a été très court. J'ai décidé avec Philippe Harrouard (le rédacteur en chef du week-end) de diffuser les images à l'intérieur d'un reportage factuel. Car dès lors que les images vidéo ne sont pas intégrées dans un reportage, il y a un risque énorme pour qu'elles soient détachées de la réalité et deviennent de la propagande. *Ensuite, j'ai retiré quelques images au montage, la séquence étant trop longue* (nos italiques/NDA). Puis, j'ai demandé que l'on prévienne les téléspectateurs de la dureté des images »[1].

Il n'y aurait donc, à ce stade, aucune raison de demander à voir ces 27 minutes. Mais reconnaissons que nous devons faire face à un double secret : le secret des images retirées, le secret du témoignage qui renvoie aux images retirées. Or,

---

1. In CFJ www.cfpj.com/cfj_deontologie_2001/theme7/theme7_sujet6.html.

de ces secrets dépend ni plus ni moins la compréhension des circonstances du drame.

La suite du témoignage de Talal Abu Rahmé lève-t-elle un coin de ce secret ? « Les tirs provenaient d'abord de différentes sources, israéliennes et palestiniennes. Cela n'a pas duré plus de 5 minutes. Ensuite, il a été assez clair pour moi que les tirs se concentraient sur le jeune Mohamed et son père, provenant de la direction qui leur était opposée. Des tirs serrés et intermittents étaient dirigés sur eux deux, et sur les deux avant-postes des forces de sécurité de l'Autorité Palestinienne. Ceux-ci ne tiraient pas, ils ont cessé leurs tirs après les cinq premières minutes, et à ce moment l'enfant et son père n'étaient pas encore blessés. Les blessures et le massacre n'ont eu lieu qu'au cours des 45 minutes qui ont suivi. *Je puis affirmer que les tirs qui ont touché le petit Mohamed et son père Jamal provenaient de l'avant-poste israélien susmentionné, car c'était le seul endroit à partir duquel il était possible de les atteindre* (c'est nous qui soulignons/NDA). C'est pourquoi, logiquement et naturellement, de par ma longue expérience acquise en couvrant des incidents vigoureux et des affrontements violents, et ma capacité à distinguer les bruits produits par les fusillades, je puis confirmer que l'enfant a été tué intentionnellement et de sang-froid, de même que son père a été blessé, par l'armée israélienne. »

Résultat de notre analyse : Talal Abu Rahmé ne dit pas qu'il a vu qui a tiré, mais seulement que l'enfant ne pouvait, selon lui, être atteint qu'à partir des positions israéliennes. Il s'agit d'une déduction. Pourtant, il affirme que l'enfant a été tué « intentionnellement et de sang-froid ». Quant à Enderlin, il n'était pas sur place. Pourtant, ce seront quand même les Israéliens qui seront désignés comme coupables d'avoir visé et tué l'enfant [1].

Avant d'analyser la suite du témoignage, il faut souligner que l'interprétation s'établira en ce sens d'autant plus aisément que, dans un premier temps, les Israéliens reconnaîtront eux-mêmes que leurs soldats ont pu être à l'origine du meurtre de l'enfant et des blessures de son père.

Mais il faut préciser qu'ils le reconnaîtront *après* la retransmission télévisuelle de l'événement, et non pas avant. Enderlin le confirmera lorsqu'il affirmera avoir cherché, mais en vain, à obtenir une position officielle du porte-parole de l'armée (Tsahal), *avant* de diffuser son reportage.

---

1. Nous avons mentionné plus haut que Abu Rahmé avait démenti avoir affirmé cela. Il existe même un document qui le prouve (voir le troisième chapitre). Mais, dans ce cas, France 2 doit publier un rectificatif explicite. On peut réaliser l'importance de ce démenti public, compte tenu de l'utilisation propagandiste qui a été faite, ça et là, par des mouvements politiques divers et variés, des images du reportage en question.

Aura-t-il alors interprété ce silence de Tsahal comme un aveu?

Toujours est-il que le 3 octobre 2000, tout le monde pourra, en effet, prendre connaissance des explications israéliennes, notamment par la dépêche de Reuters (Jérusalem) : *L'Armée israélienne dit qu'elle a vraisemblablement tué l'enfant palestinien (Israeli army says it likely killed Palestinian boy)*, dans laquelle on apprend que Giora Eiland, chef des opérations armées, a fait savoir à la radio israélienne que, selon une enquête du commandant en chef du Sud Yom Tov Samya, l'enfant a apparemment été tué par le feu de l'armée israélienne... « Ce n'est pas la première fois que des civils ont été atteints, mais cela n'a jamais été intentionnel », affirme-t-il. Puis il poursuit, ainsi : « on sait que Mohamed al-Durra avait participé à des jets de pierres dans le passé »... Selon Samya (le commandant – sud israélien / NDA), l'enfant n'aurait jamais dû se trouver à ce carrefour en première ligne. Il admet cependant que le père et son fils ont pu être pris sous le feu des Israéliens.

Puis, ces mots très importants : « Il se pourrait – c'est une estimation – qu'un soldat de notre position qui avait un champ de vision très étroit, vît quelqu'un caché derrière un bloc de ciment qui se trouvait dans son champ de tir et qu'il tirât dans cette direction » (« It could very much be

– this is an estimation – that a soldier in our position, who has a very narrow field of vision, saw somebody hiding behind a cement block in the direction from which he was being fired at, and he shot in that direction ») [1].

---

1. Le 4/10/2000; on peut lire sur Arabicnews.com : « L'armée israélienne admet qu'elle a tué l'enfant palestinien, le père réclame vengeance » (« Israeli army admits killing of Palestinian child, father calls for revenge ») *Palestine-Israel, Politics, 10/4/2000* :

Le Président du département opérationnel de l'armée israélienne Geyoura Iland a dit mardi que l'enfant palestinien Muhammad al-Derra qui fut tué dans les bras de son père dans la bande de Gaza samedi, au cours d'une scène dramatique montrée par tous les médias du monde, semblait avoir été tué par les balles israéliennes Il a exprimé ses regrets à propos de l'incident. Il a déclaré à la radio israélienne : « C'est grave. Nous éprouvons tous du regret ». Puis : « Nous avons fait des investigations et nous avons compris que c'étaient les Israéliens qui avaient ouvert le feu au point de contrôle de Netzarim ». Mardi le père de l'enfant tué a lancé un appel d'Aman (Jordanie), où il est traité sur le plan médical, « appelant le monde entier à le venger d'Israël ».

Pendant ce temps, le Président des Etats-Unis a exprimé son profond regret pour ces images du meurtre de l'enfant diffusées par les télévisions du monde entier, mais il a évité de critiquer directement les forces israéliennes ou de les tenir pour responsables de cela.

Pendant ce temps, le ministre israélien de la coopération régionale Shimon Peres a dit à une radio française privée (Europe 1) que le meurtre de l'enfant palestinien était « une catastrophe pour chacun de nous », mais il a ajouté que le meurtre ne peut avoir été intentionnel »

(« Chairman of the operation department at the Israeli army Geyoura Iland said on Tuesday that the Palestinian child

En tout cas, au terme d'un nouveau scénario qui porte sur les tirs – il y a bien des tirs de part et d'autre pendant cinq minutes, mais ces tirs s'arrêtent du côté palestinien, tandis qu'ils se déchaînent de manière nourrie sur l'enfant et son père pendant 45 minutes –, le cameraman conclut catégoriquement : « l'enfant a été tué intentionnellement et de sang-froid par l'armée israélienne ». Sa preuve ? Une reconstruction déductive issue d'une longue expérience de reporter de guerre. Selon lui « les tirs qui ont touché le petit Mohamed et son père Jamal provenaient de l'avant-poste israélien susmentionné,

---

Muhammad al-Derra who was killed while in his father's hand in Gaza strip on Saturday in a very dramatic scene shown by the world media, seemed to have been killed by Israeli fire bullets. He expressed regret over this incident. He told the Israeli radio « It was a grave event. All of us feel regret about it. » He continued « we have made investigations and we have understood that the fire was opened from Israeli soldiers at Natsareim inspection point. » On Tuesday the father of the killed child made an appeal from Amman – Jordan, where he is receiving medical treatment » calling on the whole of the world to have revenge for him from Israel.

Meantime, the US President had expressed his strong regret for the pictures depicted by world TV of the killing of the child but he avoided direct criticism against the Israeli forces or to hold them responsible for that.

Meantime, the Israeli minister of regional cooperation Shemon Peres considered in an interview with the French Private radio (Europe 1) that the killing of the Palestinian child was « a catastrophe for us and all of you » but he added that this killing cannot be deliberate »).

car c'était le seul endroit à partir duquel il était possible de les atteindre ».

En fait, le discours du cameraman transforme une possibilité en accusation et ne démontre rien. Si la question : pouvez-vous identifier le ou les tireurs israéliens qui, selon vous, ont abattu l'enfant et blessé son père ? lui avait été posée, Talal Abu Rahmé n'aurait donc pu que répondre : « non » [1].

Puis vient la fin du témoignage. « Le jour qui a suivi ces événements, je suis allé à l'hôpital Shifa de Gaza, pour interviewer le père du jeune Mohamed Al-Durreh. Cette interview a été enregistrée et diffusée. Au cours de l'interview, je lui ai demandé pour quelles raisons et dans quelles circonstances il se trouvait à cet endroit au moment des incidents. J'étais le premier journaliste à l'interviewer sur cette question. M. Jamal Al-Durreh répondit qu'il s'était rendu, accompagné de son fils, au marché de voitures d'occasion qui se trouve à plus ou moins 2 km au nord du carrefour Al-Shohada, dans l'intention d'y acheter une auto. N'ayant pas trouvé ce qu'il cherchait, il décida de rentrer à la maison. Il prit un taxi avec son fils. Lorsqu'ils approchèrent du carrefour, ils ne purent plus avancer, à cause des

1. Nous verrons plus loin qu'il dément avoir affirmé que ce sont les Israéliens qui ont tué l'enfant.

combats et des fusillades. Ils descendirent alors du taxi et tentèrent de rejoindre Al-Bureij à pied. Comme les tirs s'intensifiaient, ils durent s'abriter derrière un bloc de béton. C'est à ce moment que les incidents se produisirent, et que la fusillade dura pendant 45 minutes.

Je suis un journaliste professionnel et spécialisé. J'ai travaillé pendant de nombreuses années dans ce domaine. Je me sens tenu par les principes qui régissent le journalisme, et engagé à communiquer la réalité sans discrimination, objectivement et en toute neutralité. C'est ce qui fait de moi un journaliste apprécié. Je dispose de mon propre bureau de presse, et je travaille comme correspondant pour la chaîne française de télévision, France 2. Je travaille également pour CNN, par l'intermédiaire du bureau de presse Al-Wataneya ».

Pour être plus complet et révéler la complexité du sujet qui nous occupe, il nous faut à présent comparer ce témoignage à l'interview de Talal Abu Rahmé qui a été publié le 6 octobre 2000, soit quelques jours après l'événement dans *The Jerusalem weekly, Kol Haz'man.*

Le cameraman de France 2 qui, selon les termes de l'article, « a filmé la mort de Muchmud Al-dirah, l'enfant de 12 ans tué au Carrefour de Netzarim » déclare qu'étant donné la violence des tirs, il a dû se cacher dans une camionnette, puis qu'ayant vu l'enfant et son père, il n'a pu se porter à leur secours de peur d'être abattu, lui et son équipe.

Jusqu'alors, dit-il, on ne pouvait savoir si les soldats israéliens avaient remarqué que quelqu'un était caché là.

Puis il voit le père parler à quelqu'un par l'intermédiaire de son mobile, en vain. C'est alors que le père est blessé à la main (le père précisera « à l'épaule »). Une ambulance arrive, les soldats continuent de tirer, le chauffeur est tué. Puis le silence, et un grand « boom », plus sourd que le précédent. Il y a de la poussière, il n'y voit plus rien. Puis il aperçoit l'enfant qui était toujours près de son père allongé sur le sol, face contre terre [1].

---

1. « J'étais dans mon bureau, à Gaza, quand nous fûmes informés qu'il y avait des tirs au carrefour de Netzarim... quand j'arrivais, il y avait déjà des tirs nourris... les tirs venaient de partout, des tirs nourris de chaque direction, beaucoup en provenance d'armes automatiques. C'était terrible et je fus contraint de me protéger à l'intérieur d'une camionnette... les tirs s'intensifiaient et, pour la première fois, à quelques mètres de moi, je vis le photojournaliste de Reuters se cacher et, près de lui, un homme et un enfant... après quelques minutes, le photojournaliste partit et le père et son fils se tapirent et se pressaient l'un contre l'autre entre le mur et un grand baril de métal. Je l'entendis crier et agiter ses mains en direction des tirs... il continuait de crier mais personne ne l'entendait. Peut-être essayait-il d'attirer l'attention sur le fait qu'il était là avec l'enfant... Je pensais que si je me déplaçais (en direction d'Al-Dirah et de son fils) je mettrais en danger la vie des quatre autres personnes qui étaient avec moi.

Bien plus tard, lors d'une manifestation au cours de laquelle il sera honoré par l'attribution d'un prix, Talal Abu Rahmé modifiera quelque peu son témoignage en ces termes : « J'étais caché derrière une camionnette (et non à l'intérieur) pour filmer des scènes d'affrontements (et non

---

Jusqu'alors on ne pouvait savoir si les soldats israéliens n'avaient pas remarqué que quelqu'un était caché là...après quoi, je vis qu'il prit un téléphone mobile et qu'il parlait à quelqu'un. Mais en vain, et il reçut une balle à la main...une ambulance arriva...et les soldats continuaient de tirer. Le conducteur fut atteint et tué. Cela dura longtemps puis il y eut un silence pendant quelques secondes, et un « boom ». J'entendis un autre bruit plus sourd que le précédent. L'endroit où ils s'étaient protégés était couvert de débris poussiéreux, nous ne vîmes plus rien et quand cela se dissipa, je vis que l'enfant qui était tout le temps près de son père, était étendu la face contre terre. » (« I was in my Gaza City office when we received notice that there was shooting at Netzarim Junction...when I arrived there was already heavy shooting...the shoots came from all over, heavy shooting from every direction, many shots from automatic weapons. It was terrible and I was forced to take cover inside the van...the shooting intensified and then, for the first time, some meters in front of me, I saw the Reuters photojournalist hiding there and next to him, a man and a child...after a few minutes, the photojournalist managed to get out and the father and son crouched and compressed themselves between the low block wall and a large metal barrel. I heard him shouting and waving his hands in the direction of the shoots...he continued shouting but wasn't heard. Maybe he was trying to attract attention that they would know that he was there with the child...I thought that if I would move (in the direction of Al-dirah and son) then I would endanger the lives of the four other people with me.

pour se protéger), quand j'ai découvert un père et son fils effrayés par les tirs. Les balles sifflaient dans tous les sens. Il s'est mis à pleuvoir des projectiles. Je ne pouvais rien faire. Le père agitait les bras pour demander aux tireurs de les épargner (et non pour signaler sa présence). Il a pris son portable, mais c'était tellement bruyant qu'il a dû renoncer. L'enfant criait (rien sur la blessure du père à la main), c'était atroce. Enfin, il ne bougeait plus. C'était fini ».

Ces deux nouveaux témoignages du cameraman permettent de compléter son témoignage initial. Nous l'avons vu : lorsque le cameraman arrive sur place, les tirs sont tels qu'il doit se cacher derrière une camionnette. Il voit alors un autre journaliste, de l'agence Reuters, caché à quelques mètres de lui, ainsi qu'un homme et un enfant.

---

1. Until that moment, it was not clear to me that the (Israeli) soldiers did not notice that someone was hiding there...afterwards, I saw that he took out a mobile phone and spoke to someone. But he was'nt successful in conversing and then he took a bullet in the hand...an ambulance pulled up... and the soldiers continued shooting. The driver was hit and was killed. This lasted for a long time and then ther was quiet for a few seconds and then, « boom », I heard another sound, different, louder than what I heard previously. The area where they were taking cover filled with debris dust, we did'nt see a thing and when it disspated, I saw that the child who was all the time close to his father, was lying on the ground, his face in the earth »).

Quelques minutes plus tard, le journaliste part, tandis que le père et son enfant demeurent tapis près d'un grand baril de métal (il s'agit en fait d'un baril de ciment). Il l'entend crier en direction des tirs, mais lui n'est pas entendu. Il pense alors que le père tente de signaler sa présence et celle de l'enfant afin que ceux qui tirent les épargnent. Mais il tient aussi à s'expliquer sur le fait qu'il n'a pas porté assistance à personnes en danger, au prétexte qu'il aurait mis en danger la vie des quatre personnes qui étaient avec lui.

Faisons un arrêt sur ce dernier point. En effet, de même que nous ne discuterons pas l'argument de la protection de l'enfant par le père ni par le cameraman de Reuters, ni par Talal Abu Rahmé, de même nous n'avons pas l'intention de discuter ici celui de la survie du cameraman. Mais, nous avons tout de même le droit d'analyser sa trame logique. Or, celle-ci indique que s'il ne peut protéger les Al Dura, c'est :

1. Parce que les Israéliens ne peuvent voir qu'il est un cameraman, même s'il porte une caméra et la mention France Telvisions sur son dos, et qu'ils sont prêts à le tuer comme tous les manifestants sur lesquels ils tirent au hasard. D'où l'on inférerait qu'ils ne tirent pas sur des « cibles », contrairement à ce qui est dit dans le commentaire initial, mais tous azimuts, sans respecter journalistes, ambulanciers, enfants....

Ou,

2. Parce qu'ils voient bien que c'est un caméraman qui porte sa caméra sur l'épaule, mais que précisément pour cette raison, ils veulent l'abattre, lui et son équipe. D'où l'on infère que le message induit d'Abu Rahmé est que l'armée israélienne a reçu l'ordre de tuer les journalistes non israéliens témoins de la scène [1].

Revenons sur le dernier élément du discours.

---

1. Talal Abu Rahmé aurait pu avoir, en effet, de bonnes raisons d'envoyer ce message, si l'on en croit la lettre que Bengt Braun, Président de la World Association of Newspapers et Ruth de Aquino, Présidente du World Editors Forum, ont adressée à Ehud Barak, le 22 mai 2000. Car, on y lit : « Nous vous écrivons pour vous faire part de notre grave préoccupation du fait que six journalistes ont été atteints par balles alors qu'ils couvraient les affrontements entre manifestants palestiniens et troupes israéliennes en Cisjordanie et à Gaza. Selon les rapports, six journalistes furent blessés durant les violents affrontements qui eurent lieu entre des manifestants qui jetaient des pierres et des soldats, le 15 mai. Maher Abu Khater et Rabhi Al Koubari de Watan TV et Jadi Ali de Houb wa Salam TV ont été blessés par balles tandis qu'ils couvraient les affrontements en Cisjordanie. A Gaza, les journalistes Najib Abu Al Jabin, *Talal Abu Rahma* (c'est nous qui soulignons/NDA)... » (We are writing to express our grave concern at the shooting of six journalists covering the clashes between Palestinian protesters and Israeli troops in the Westbank and Gaza. According to reports, six journalists were injured during violent clashes between stone-throwing demonstrators and soldiers on 15 May. Maher Abu Khater and Rabhi Al Koubari of Watan TV and Jadi Ali of Houb wa Salam TV received gunshot wounds while covering the clashes in the West Bank. In Gaza, journalists Najib Abu Al Jabin, *Talal Abu Rahma...* »).

Jusqu'alors, si l'on en croit cette déclaration, le témoin n'est pas sûr que les soldats israéliens n'aient pas remarqué des personnes se cachant là-derrière. Puis, il voit le père prendre son téléphone mobile et parler à quelqu'un, mais, dit-il en vain. C'est alors qu'il est touché à la main. Une ambulance se retire, mais les soldats continuent de tirer. Son chauffeur est tué. Cela dure pendant un long moment, puis arrive un silence de quelques secondes suivi d'un « boom ». Le photographe entend alors un autre bruit différent, plus bruyant que celui qui précède. L'endroit où le père et le fils s'abritent est couvert de poussière due à des débris. Le cameraman ne voit plus rien, mais lorsque le nuage se dissipe, il voit l'enfant qui était resté tout le temps près de son père, allongé sur le sol, le visage à terre.

Ainsi, nous apprenons :

1. Que le père a tenté de téléphoner à quelqu'un juste avant d'être blessé à la main, images que nous ne voyons pas dans le reportage et qui doivent se trouver dans les rushes.

2. Que la caméra n'a pu filmer qu'un nuage de fumée derrière lequel ont eu lieu les tirs qui ont provoqué la mort de l'enfant et les blessures du père.

Le cameraman de France 2 est catégorique : du point où il se trouve (ce qui n'est peut-être pas pareil pour un autre cameraman), ce nuage de fumée fait qu'il n'y a aucune possibilité d'avoir des rushes sur les nombreux tirs qui vont toucher le père et l'enfant. Les images du reportage sont les seules qui soient disponibles sur le moment précis de ce drame.

Plus tard, on apprendra pourtant qu'il a également filmé l'agonie de l'enfant, mais que pour des raisons déontologiques et humaines, Charles Enderlin, « conscient de l'impact qu'allait avoir un tel reportage » a refusé de les diffuser. « J'ai coupé l'agonie de l'enfant, affirme-t-il. C'était trop insupportable... Quant au moment où le gamin reçoit les balles, il n'a même pas été filmé (...). D'ailleurs, ce que montre la télévision ne représente qu'une infime partie de ce qui se passe réellement [1]... »

Incidemment, Enderlin confirme donc que le moment fatidique où les balles tuent l'enfant n'a pas été filmé, mais qu'il n'en est pas de même des images de son agonie. Talal Abu Rhamé n'en a pourtant pas parlé.

---

1. Nous tenons cette information d'un site pédagogique. En effet, des étudiants ont eu récemment à plancher sur le sujet suivant : « *Annexe – Piste Médias 4e – Leçon N° 2 – Un journaliste peut-il tout dire, tout écrire, tout montrer ?*

Le nuage de fumée qui avait empêché le cameraman de filmer la mort en direct se sera donc dissipé à toute allure. La lente agonie de l'enfant sera apparue alors dans toute son horreur.

D'où cette alternative que l'on ne peut poser sans en noter aussitôt les incohérences : soit Talal

---

1/ Image du journal France 2 : le conflit israélo-palestinien. (30/09/2000) La mort de Mohamed.

– Les élèves réagissent.

– Questions :

Que pensez-vous du travail du journaliste ?

Fallait-il montrer ces images au journal TV de 20 h ?

– On note au tableau les réponses des élèves (oui... non...).

2/ Fiche de documents.

Document n° 1

« D'un côté, la mort en direct d'un enfant palestinien. De l'autre, le lynchage – toujours en direct – de deux soldats israéliens, jetés par la fenêtre d'un commissariat. Ces images chocs sont devenues les emblèmes de la haine fratricide, du conflit sanglant opposant Israéliens et Palestiniens. C'est France 2 qui, la première (sic !), a diffusé les images du drame de Netzarim... Filmée le 30 septembre par un cameraman de la chaîne, Tala Abou Rahmed, la séquence est passée le soir même au journal de 20 h, suscitant l'émotion, la colère et parfois l'indignation des télespectateurs ».

« On affirme alors que « certains ont dénoncé un journalisme " partisan ", beaucoup se sont sentis choqués, dépassés par la violence de la scène. (...) ». " *Si l'image de ce petit garçon palestinien n'avait pas été figée, en étant reproduite dans la presse écrite, elle n'aurait pas eu le même impact. C'est l'arrêt sur l'image montrant ce gamin hurlant qui en a démultiplié l'effet* " (P.H. Armstam, chargé de la rédaction de France 2). (...) ». (http ://pedagogie.ac-aix-marseille.fr/histgeo/pedago/ecjs/-mano_007.htm).

Abu Rahmé n'a pas filmé l'agonie mais un autre cameraman l'a fait, et l'on se demande comment ces images sont parvenues jusqu'à Charles Enderlin, soit il l'a bien filmée, et cela signifie que sa caméra a pu percer le mur de fumée blanche, mais tout de même pas au moment crucial où l'enfant a été atteint par les deux ou trois balles qui causeront sa mort immédiate.

La réaction affective d'Enderlin de ne pas montrer des images éprouvantes est tout à son honneur. Il est juste de mettre des limites à la retransmission télévisuelle de l'horreur. Sur ce sujet, beaucoup de chemin reste à faire [1]. Mais ces images existent-elles ? Par ailleurs, en quoi les images qu'il nous donne à voir seraient-elles moins éprouvantes que les autres ?

S'il est hors de question de vérifier que les images existent dans un contexte spectaculaire, il n'en est pas de même dans un contexte d'enquête journalistique encadrée sur le plan déontologique, ou bien sûr, judiciaire.

1. Cf : la conclusion de ce livre.

CHAPITRE II

DES DOSSIERS AU REPORTAGE D'ESTHER SCHAPIRA

Souvent, pressé par le besoin sans doute, il bâcle.

André Gide

Émois, incertitudes, accusations, excuses, justifications

Le lendemain de ce terrible drame, Palestiniens et Israéliens, lesquels, bien sûr, ignorent tout des discours des « témoins » de la mort de l'enfant, puisqu'ils ne seront tenus que plus tard, constatent la terrible réalité qui s'affiche à l'écran : un enfant se cache derrière son père et tous deux derrière un baril de ciment. Le père fait des signes désespérés destinés à faire comprendre à ceux qui tirent qu'ils doivent s'interrompre et les laisser s'enfuir.

A un moment, l'enfant s'écroule dans la douleur. Son corps recroquevillé s'allonge sur le sol. Il recouvre son visage de sa main. Son père est assis. Il tente de maintenir son équilibre, puis s'immobilise, foudroyé.

Pourtant l'Agence France Presse introduit le doute. Le 1er octobre, en effet, elle écrit que c'est un « Rami Jamal a-Dourra » qui a été « tué samedi dans la bande de Gaza, *apparemment* (c'est moi qui souligne/NDA) par des balles israéliennes ». Et l'AFP de confirmer, le lendemain, que « le film (de France 2) ne montre pas qui a tiré, mais les tirs semblent provenir de la position israélienne » (AFP, 2 octobre, 13 h 19). Puis : « L'armée israélienne admet implicitement qu'elle a pu tuer le jeune Mohamed » (AFP 20 h 59). Et enfin : « Le chef d'état-major adjoint de l'armée israélienne, le général Moshé Ayalon, a admis implicitement que Mohamed Al Dourra ait pu être tué par erreur par des militaires israéliens...il a admis la possibilité qu'un militaire israélien ait pris le père de l'enfant pour cible, croyant qu'il faisait partie des assaillants, mais n'a pas complètement écarté la possibilité que l'enfant ait été victime de balles palestiniennes. »

Il y a donc bien un « jeu » entre les accusations audiovisuelles non démontrées, les incertitudes des dépêches de l'AFP et les « aveux » hâtifs et fondés sur des images dont les Israéliens commencent à démentir le contenu.

Mais, avant de faire la lumière, c'est l'ébranlement émotionnel qui prend le dessus.

Le 2 octobre, l'AFP écrit : « Les images de la mort de Mohamed Jamal al Dourra, un enfant palestinien de douze ans, reprises partout dans le monde, ont suscité une intense émotion, Hosni Moubarak, Madeleine Albright et Hubert Védrine [1] se disant « bouleversés » devant l'agonie de ce gamin dans les bras de son père ».

---

1. Le 6 octobre 2000, on pourra lire sur *Arabicnews.com* (in *Palestine, Politics*) : « *Chirac espère qu'il y aura une enquête sur le meurtre de l'enfant palestinien Rami al-Derra (hopes to investigate killing of Palestinian child Rami al-Derra)* ». Le ministre palestinien de la culture et de l'information Yasser Abd Rabbu a dit que le président français Jacques Chirac a exprimé son souhait qu'il y ait une investigation des conditions dans lesquelles le meurtre de l'enfant palestinien Muhammad al-Derra a eu lieu.

Abd Rabbu a expliqué que Chirac a dit son sentiment devant tous les participants de la réunion de travail qui s'est tenue mercredi au Palais de l'Elysée. Il a ajouté que Chirac a exprimé sa sympathie aux victimes du « tragique » affrontement et sa commisération aux familles ». Un enfant de dix ans a aussi été tué mercredi par des tirs de soldats israéliens au même endroit où l'enfant al-Derra avait été tué près de l'implantation de Netzarim dans la bande de Gaza » (« The Palestinian minister of culture and information Yasser Abd Rabbu said that the French President Jacques Chirac expressed hope to have an investigation over the killing of the Palestinian child Muhammad al-Derra.

Abd Rabbu explained that Chirac expressed this sentiment before all participants in Paris meeting during the work meeting held on Wednesday at Elysee palace. He added that Chirac expressed his sympathy over the death of victims in the « tragic » confrontation and his commiseration to the families. »

A 10 – year old child was also killed on Wednesday by the bullets of the Israeli soldiers in the same place where child al-Derra was killed near Natsareim settlement in Gaza strip »).

Mohamed est déjà devenu « l'enfant emblématique de la Palestine » (*Le Monde*), le symbole même de la Seconde Intifada [1].

Pour autant, l'absence de doute ne va pas jusqu'à convaincre la télévision palestinienne qu'il est inutile d'en rajouter.

En effet, elle introduit l'image d'un soldat israélien en train de tuer de sang-froid Mohamed dans la séquence initiale. Il y a insertion d'une image hors-contexte parmi des images du reportage initial de France 2.

L'affirmation selon laquelle l'enfant a été tué intentionnellement et de sang-froid est reprise, par exemple, par l'écrivaine palestino-américaine, Muna Hamzeh, le 4 octobre 2000, en ces termes : « On est en train de massacrer notre peuple, et les Nations Unies, les Etats-Unis observent sans rien dire. Quand cette injustice finira-t-elle ? Si Mohammed « Rami » al-Dura était un garçon israélien de douze ans, et que nous l'avions tué de sang-froid, Clinton aurait

---

1. Mot arabe signifiant « soulèvement ». Il désigne le mouvement de révolte palestinien qui a débuté en décembre 1987 dans la bande de Gaza et qui a gagné la Cisjordanie. La première Intifada s'est achevée comme un prélude à la Conférence de Madrid (1991) où se sont amorcées les négociations qui aboutiront à l'accord d'Oslo de 1993. La seconde Intifada a commencé le 30 septembre 2000. Elle est encore en cours, au moment où l'auteur écrit ce livre.

poussé des cris de Sioux, en nous traitant de terroristes » [1].

En France, Le Comité Solidarité avec la Palestine publie le témoignage de Talal Abu Rhamé que nous avons étudié plus haut sous le titre : « Le meurtre du petit Mohammed Al-Durreh a été commis intentionnellement et de sang-froid ». Voici le chapeau qui précède la publication de cette déclaration :

« Le reportage filmé par le reporter de France 2, Talal Abu Rahma, de la fusillade du petit Mohammed Al-Durreh, 12 ans, originaire de Al-Boreij, et de son père, par les forces d'occupation israéliennes, qui a causé la mort du premier et infligé de graves blessures au second, est une des preuves les plus évidentes des violations graves et manifestes des droits humains, auxquelles se livrent les forces d'occupation israéliennes à l'encontre des civils palestiniens. L'enfant et son père s'étaient réfugiés à l'abri d'un bloc de béton de 70 cm de hauteur placé contre un mur. En dépit des appels à l'aide de l'enfant et de son père, les forces occupantes israéliennes ont continué à tirer et, pour finir, ont tué l'enfant sans pitié » [2].

1. Source *http ://www.liberation.fr/chapitre/hamzeh.html.*
2. Idem.

Pour les Israéliens, nous l'avons vu plus haut, le temps est aux excuses pleines de confusion intellectuelle : « Il se pourrait – c'est une estimation – qu'un soldat de notre position qui avait un champ de vision très étroit, vît quelqu'un caché derrière un bloc de ciment qui se trouvait dans son champ de tir et qu'il tirât dans cette direction ». Ce général va donc jusqu'à admettre que, contrairement à ce que dit Charles Enderlin, le père et son fils ne sont à aucun moment en sécurité. Il va même plus loin, puisqu'il considère que des silhouettes derrière une barrique peuvent à la fois être vues du fortin et être vues comme menaçantes.

La question de l'information s'est donc clairement déplacée du champ de sa vérité factuelle vers celui de sa vérité politique. *Puisque Palestiniens et Israéliens sont d'accord pour dire que l'enfant est mort du fait des tireurs israéliens, l'enjeu médiatique devient l'enjeu politique même : il s'agit pour les uns de dénoncer la barbarie des autres, et pour ceux-ci de tenter de s'excuser ou de se justifier.*

Dès lors, les argumentations vont se construire de manière dissymétrique. A partir de ce moment, il n'y aura plus de place pour un dialogue contradictoire (si tant est qu'il y en ait eu un, un jour) sur la mort de l'enfant et les blessures de son père entre les protagonistes du conflit.

Les Palestiniens vont faire état de documents qui, selon eux, attestent la vérité des faits ; ils vont construire un univers de signification autour de l'enfant. Cet univers s'alimentera de lui-même, car il répondra en permanence au seul désir d'expliquer et d'étendre leur cause nationale et théologique. Dès lors, ils n'auront de cesse d'interpréter le fait que l'enfant ait été tué par les Israéliens comme un exemple – l'exemple des exemples, à ce moment-là – du martyr (« shahyd », en arabe) des enfants palestiniens.

Le peuple palestinien trouve là un sens profond à la souffrance qu'il endure. Cette mort n'est pas qu'un symbole, elle est vécue comme une révélation, comme un événement divin, une épreuve qui fait apparaître au grand jour le sens profond du fait que ce soit au peuple palestinien qu'ait échu le rôle historique et théologique de s'affronter au peuple israélien. Jusqu'alors, pour les Palestiniens, il y a un peuple oppresseur (les Israéliens) et un peuple opprimé (les Palestiniens). Le conflit s'inscrit dans une *lutte de libération nationale.* Mais avec cet événement, il s'agit de tout autre chose : d'une *lutte de libération théologique.*

Quant aux Israéliens, ils ne comprendront rien au profond changement qui est en train de se produire dans les perceptions des Palestiniens, mais aussi des autres peuples de la nation arabe. Ils verront bien la dimension symbolique de l'événement, mais pas la théologique.

De toute façon, leur problème ne sera pas de tenter de contrecarrer leurs adversaires sur le terrain de la communication et sur le terrain symbolique.

Ils estiment qu'ils ont mieux à faire : se défendre armes aux poings contre la seconde Intifada qui a démarré, et, pour ce qui concerne cet événement précis, tenter de démontrer sur le plan factuel que les soldats de l'armée (Tsahal) n'ont pas cherché à tuer l'enfant et que celui-ci a été tué malencontreusement.

C'est pourquoi un chef de l'armée prend l'initiative de commanditer une enquête.

En fait, pour bien comprendre la situation, il faut réaliser qu'à aucun moment il n'y a de communication entre Palestiniens et Israéliens. Les médecins palestiniens du principal hôpital de Gaza, Shifa, où l'enfant a été hospitalisé, ne font pas d'autopsie. Les Israéliens ne sont pas en mesure de leur demander de la faire.

LES ACCUSATIONS PALESTINIENNES

A la suite du témoignage du cameraman Talal Abu Rahmé [1] et du reportage qu'il a communi-

---

1. Complété comme suit : « Les balles ne pouvaient pas avoir été tirées par des Palestiniens. Je vis clairement de mes propres yeux que les balles venaient du côté où se trouvait l'armée israélienne, insistait Abu Rahma. « Je le vis – ainsi que mon preneur de son et de nombreux citoyens. Il n'y avait pas d'hommes de la sécurité palestinienne à l'endroit d'où venaient les tirs ».

Ce n'était pas la première fois que Abu Rahma, 45 ans, filmait des manifestants palestiniens tués par les troupes israéliennes d'occupation, mais cette fois il ne put retenir ses larmes. « L'enfant fut tué juste en face de moi. Je voulais le sauver, mais je ne le pus en raison du tir nourri ». Et Abu Rahma de raconter : « Traverser la rue jusqu'au trottoir où l'enfant et son père se trouvaient aurait signifié une mort certaine. Je n'ai pas pu le sauver, c'est pour cela que je suis encore bouleversé aujourd'hui ».

En réponse à l'armé israélienne qui dit que ses soldats devaient se défendre, Abu Rahma dit : « je n'ai pas vu le père ou son fils en train de porter une kalashnikov ou une RPG (grenade autopropulsée). Jusqu'à aujourd'hui, je ne peux comprendre pourquoi ils ont tiré de manière si intense sur lui ».

Abu Rahma, qui travaille comme cameraman depuis 13 ans, dit qu'il allait quitter la scène de Netzarim le samedi, quand soudainement il entendit des bruits de balles venant de partout. Lui et son preneur de son se cachèrent derrière une vieille voiture, tandis que de jeunes hommes se dispersaient comme des fous autour d'eux. « A un moment, le feu fut concentré dans la direction du père et du fils », dit Abu Rahma,. « L'enfant pleurait et s'agrippait fermement à son

qué à France 2, dont nous avons vu qu'ils se complétaient dans une certaine vacuité, les

---

père. Je pense qu'il fut atteint par une balle à la jambe droite. Le père fit des signes en direction d'une ambulance qui était près, mais en raison du feu nourri personne ne le remarqua. Le garçon pleurait. Je vis aussi le père me faire des signes, un téléphone mobile à la main. Mais je ne pouvais rien faire. Je vis les trous faits par les balles dans le mur derrière lui et le père fut atteint par une balle à l'épaule. »

Apparemment, Jamal réussit enfin à attirer l'attention d'une des ambulanciers. « Quand il se précipita pour les sauver, il fut atteint par des balles et tué », poursuivit Abu Rahma. « Nous étions de plus en plus tendus. Le père et son fils allaient être tués juste devant nous, mais nous avions peur que si nous faisions le moindre bruit, les Israéliens commencent à tirer sur nous aussi, et même fassent sauter la voiture derrière laquelle nous nous cachions ».

A ce moment Abu Rahma et son preneur de son virent quelque chose qui avait l'air d'une tempête de sable et pensèrent que c'était du gaz lacrymogène. « Ce n'était pas ça, c'était une bombe réelle qui causa une immense explosion. Lorsque la poussière retomba, nous vîmes le fils inconscient gisant sur les genoux de son père qui semblait lui aussi inconscient, atteint par des balles. Je sus que le garçon avait été tué et que son père était mourant ; je n'en pouvais plus. J'arrêtai ma caméra alors que le feu était toujours nourri ».

Finalement, une ambulance arriva et conduisit Mohamed et son père à l'hôpital. Racontant ses dernières minutes avec Mohamed, Jamal dit : « Mon fils fut tué alors qu'il se cachait derrière moi et je ne pus rien faire pour le sauver ». Des larmes lui vinrent aux yeux, tandis qu'il dit qu'ils ne s'attendaient pas à être pris dans la fusillade ».

(« The bullets could not have been fired by Palestinians... I clearly saw, with my own eyes, that the bullets were coming from the side where the Israeli army was standing », Abu Rahma insisted. « I saw it – and so did my soundman and a

Palestiniens s'expliquent sur les données anatomopathologistes qui concernent le père, Jamal et

---

number of citizens. There were no Palestinian security men in the area where the bullets came from. »

It was not the first time that Abu Rahma, 45, has filmed Palestinian demonstrators being killed by Israeli occupation troops, but this time he could not hold back his tears. « The boy was killed right in front of me. I wanted to save him, but I couldn't because of the heavy fire », Abu Rahma recounted. « Crossing the street to the sidewalk where the boy and his father were would have meant certain death. I wasn't able to save him – that is why I am still upset today. »

As for claims by the Israeli army that its soldiers were defending themselves, Abu Rahma said : « I didn't see the father or his son carrying a Kalashnikov or an RPG [rocket-propelled grenade]. Until now, I can't understand why they were firing so heavily at them ».

Abu Rahma, who has been working as a cameraman for 13 years, said he was about to leave the scene in Netzarim on Saturday when he suddenly heard the sound of bullets coming from everywhere. He and his soundman hid behind an old car, while young men scattered around them frantically. « At one point, firing concentrated in the direction of the father and his son », Abu Rahma said. « The child was crying and holding tightly onto his father's body. I think he was hit by a bullet in his leg first. His father was waving at a nearby ambulance, but due to heavy fire nobody noticed him. The boy was crying. I saw the father waving at me as well, holding a mobile phone in his hand. But I couldn't do anything. I could see bullet holes in the wall behind him, and then the father was hit by a bullet in his shoulder. ».

Apparently Jamal finally managed to catch the attention of one of the ambulance workers. « When he rushed to save them, he was hit by bullets and killed », Abu Rahma continued. « We grew extremely tense. The father and his son were being killed right in front of us, but we were afraid that if we made any noise, the Israelis would start shooting at us as well – maybe blow up the car we were hiding behind. »

son fils, Mohamed. Les deux victimes ont, en effet, été transportées à l'hôpital [1].

Mohamed a été atteint de plusieurs balles. De combien ? La réponse n'est pas claire. Où les impacts ont-ils eu lieu ? Les déclarations sont contradictoires. Comme nous l'avons vu, le Centre National d'Information Palestinien indique à la page « Les Noms des Martyrs Names des Martyrs d'Al Aqsa » : 13 : « Mohammed Jamal El – Dorra : Tirs à balles réelles dans la poitrine et le ventre ».

En revanche, Jamal Al Dura tient un autre propos. Interviewé par *Al-Ahram* quelques jours après

---

At that moment Abu Rahma and his soundman saw something he said looked like a sandstorm, which they thought was tear gas. « It wasn't a tear gas canister; it was a real bomb, which caused a huge explosion. After the air cleared, we saw the son lying on his father's lap and it appeared his father was unconscious, hit by bullets. I knew the boy had been killed and his father was dying; I couldn't take it anymore. I turned off my camera, even though the firing was still heavy. »

Finally, an ambulance car arrived and took Mohamed and his father to the hospital. Recounting his last minutes with Mohamed, Jamal said, « My child was killed hiding behind me and I couldn't do anything to save him. » Tears welling in his eyes, he said that they hadn't expected to be caught in gunfire » (in WHY, *Al-Ahram Weekly On-line,* 5 – 11 October 2000, Issue No. 502, published in Cairo).

1. Ces informations sont données par un médecin de l'hôpital enregistré par Esther Schapira.

l'événement, il dit : [1] « Nous étions en route pour rentrer à la maison, dans le camp de Breij, après avoir cherché une nouvelle voiture. Soudain, les tirs vinrent de partout. Nous essayâmes de nous cacher derrière un bloc de ciment, dans la rue. Mohamed hurlait à cause du bruit que faisaient les balles tout autour de nous. Je lui dis de ne pas être effrayé. « Je n'ai pas peur », me dit-il, mais, après qu'une balle atteignit son *genou*, il souffrait. J'essayais de le protéger avec mon corps, mais en vain. Une autre balle le toucha au *dos*. Je me mis à hurler et à faire des signes de la main, espérant que les ambulanciers nous verraient, tandis que mon fils saignait. Tout ce que je ressentis ce fut une balle dans mon *épaule*, suivi de plusieurs autres balles. Je ne pus les compter; je ne pus réaliser ce qui arrivait à moi, ou à mon fils.

---

1. In *WHY*, idem : « We were on our way home to Breij camp, after looking for a new car. Suddenly, there was fire coming from everywhere. We tried to hide behind a cement bloc in the street. Mohamed was screaming from the sound of bullets all around us. I told him not to be scared. He answered, « I am not afraid », but after a bullet hit his *knee*, he was in pain. I tried to protect him with my body, but there was no use. Another bullet hit his *back*. I started screaming and waving, in hope that ambulance workers would see us while my son was bleeding. All I felt then was a bullet hit my shoulder, followed by more bullets. I couldn't count the bullets; couldn't feel what was happening to me, or my son. When I regained consciousness in the ambulance, I reached for my son's body. When I touched him, I knew he was dead »).

Quand je récupérai mes esprits dans l'ambulance, je m'approchais du corps de mon fils. Quand je le touchai, je sus qu'il était mort ».

Les points d'impact des balles qui ont tué l'enfant diffèrent, selon que c'est le père ou le Centre d'information palestinien qui parle. Quant au cameraman, il se dit témoin de l'impact d'une seule balle dans la jambe de l'enfant.

Mais surtout, le fait que l'enfant ait pu être atteint dans le dos introduit une différence essentielle dans le déroulement des faits que les uns et les autres tentent de reconstituer.

En effet, il est absolument impossible que des Israéliens puissent se trouver dans la ligne du champ où se trouve alors le cameraman de Reuters.

A moins que ce soit les Israéliens qui aient fait fuir le cameraman, mais cela n'a aucun sens, puisqu'au moment de crier, c'est face à la caméra que le père et l'enfant s'expriment.

Ces contradictions indiquent donc clairement que soit les Israéliens entouraient l'enfant et son père pour les massacrer, ce qui est contredit par les images et les témoignages, soit que nul ne sait ce qui s'est réellement passé, et qu'en l'absence d'explication cohérente, on donne à croire que l'enfant et son père sont cernés pour être tués.

Une autopsie de l'enfant et l'examen médical du père qui échappe à la mort, peuvent donner la solution. Or, comme nous l'avons vu, il n'y a pas d'autopsie. Quant au médecin, que dit-il ? Il explique qu'il n'y a pas de fragment de balles dans le corps de l'enfant.

Lorsqu'on tente de comprendre pourquoi les médecins n'ont pas autopsié le corps de l'enfant, on se dit que c'est au moins pour trois raisons :

La première est que le père de Mohamed refuse la proposition de son patron, Moshé, un Israélien qui l'emploie depuis de très nombreuses années, d'hospitaliser l'enfant dans un hôpital israélien. Les médecins n'auraient pas manqué de pratiquer une autopsie.

La seconde est que le corps de l'enfant doit être préparé en hâte pour que Mohamed soit enterré comme un martyr, trois heures après sa mort.

La troisième est que la police et la médecine palestiniennes considèrent qu'une autopsie est inutile, du moment qu'elles prétendent avoir les preuves que ce sont les Israéliens qui ont tué l'enfant [1].

Les preuves de la culpabilité des Israéliens faisant défaut, les Palestiniens chercheront donc à asseoir la vérité de l'événement sur le plan politique en intervenant auprès de toutes les instances mondiales, et notamment auprès de la

---

1. Tel sera le contenu du témoignage d'un policier palestinien dans le reportage d'Esther Shapira dont nous parlerons plus loin.

Haut Commissaire des Nations Unies aux droits de l'Homme qui précisera, en effet, qu'elle a été informée « du cas d'un conducteur d'ambulance de la société palestinienne du Croissant Rouge, Bassam Al-Barbisi, qui avait été tué alors qu'il tentait de s'approcher de Mohammed Al-Dura, 12 ans, et de son père pour les embarquer dans son ambulance [1]. »

Quant au père qui a été blessé à l'épaule, nul ne saura jamais où les autres balles l'ont atteint.

L'enquête israélienne

Comme nous l'avons vu plus haut, peu après l'événement, le Major-Général Yom Tov Samia a pris l'initiative de confier à un ingénieur, Yosseff Doriel, et à un physicien, Nahum Shahaf, la mission de faire la clarté sur la mort de Mohamed al Dura au Carrefour de Netzarim [2].

Dans son rapport Doriel se présente comme un professionnel de l'investigation de ce type de cas, doté d'une longue expérience dans l'analyse des systèmes complexes, de la recherche sur les opérations militaires des combats et des tirs. Il

1. Conseil Economique et Social – E/CN.4/2001/114 – 29 Novembre 2000

2. © 2001-2002 Koret Communications Ltd. All rights reserved. Terms of Use.

commence par affirmer que le meurtre (« killing ») a été filmé par un cameraman de la télévision palestinienne et que les soldats israéliens sont accusés d'avoir tué l'enfant de sang-froid. Il omet donc de dire que ce cameraman travaille aussi pour France 2. Puis il distingue les faits confirmés et ses conclusions.

Selon Doriel, les faits confirmés sont les suivants :

– Les soldats israéliens sont restés confinés à 110 mètres de la victime, mais les avant-postes palestiniens étaient dispersés devant et derrière la victime.

– L'Autorité Palestinienne a confirmé sur la deuxième chaîne israélienne (le 31 octobre 2000) que l'enfant avait été tué par une balle qui est entrée dans son corps par devant et qui est sortie par le dos (c'est pourquoi aucune balle n'a été trouvée dans le corps de l'enfant) (cette information est en contradiction avec le témoignage du père de l'enfant).

– Le cameraman de la télévision palestinienne est retourné sur la scène de l'événement un jour après et a confirmé que le baril derrière lequel le garçon se tenait était en béton, et non en métal, donc aucune balle de fusil ne pouvait le pénétrer de part en part (*Haaretz*, 7 Nov. 2000).

– Le film pris par le cameraman ne révèle que l'existence d'un trou fait par la balle qui a pénétré le corps de l'enfant.

– L'emplacement du trou sur le mur causé par la balle qui a tué l'enfant se trouve bien dans un espace protégé par le baril en béton d'un tireur de l'avant-poste israélien.

– Ce trou n'a pu être causé que par un tireur qui faisait face au garçon à partir d'un endroit situé dans les buissons derrière le cameraman. Le bruit enregistré avant que l'enfant soit mort était celui d'une arme qui était proche, avec un son tout à fait différent de celui qui avait été entendu auparavant à partir des avant-postes éloignés.

– Les avants-postes armés faisant face au garçon étaient entre les mains des seuls Palestiniens. Ce ne peut donc être qu'eux qui ont tué l'enfant.

Il en est de même pour les balles qui ont blessé le père. Jamel était caché dans l'angle du mur et du baril. Il n'a donc pu être atteint que de face, et en aucun cas par les balles de l'avant-poste israélien qui était dans un angle de 30 degrés du mur. Cela aurait été impossible même si l'angle avait été de 43 degrés.

Il s'ensuit, alors, des considérations personnelles racistes à l'encontre des Musulmans que l'auteur de l'enquête fait passer pour des conclusions :

– La conduite de ces militants musulmans serait tout à fait compatible avec ce que l'auteur dit être leur vieille tradition de sacrifier leur propre peuple à des fins politiques définies par leur leader avec la volonté d'Allah. Cela en ferait automatiquement de saints martyrs.

– Cette conduite serait aussi compatible avec la croyance des militants musulmans selon laquelle il serait légitime de mentir si le mensonge est une arme contre l'ennemi.

Enfin, le rapport d'enquête se termine avec des recommandations qui n'intéressent pas le présent dossier, car elles sont, pour l'essentiel, politiques.

Pourtant, le Major-Général Yom Tov Samia, qui revient sur sa première déclaration, se contente de dire : « Une complète investigation, conduite ces dernières semaines, démontre qu'il y a de sérieuses raisons pour mettre en doute le fait que le garçon ait été tué par le feu israélien. *Il est tout à fait possible* (c'est nous qui soulignons/NDA) que le garçon ait été frappé par des balles palestiniennes au cours de l'échange qui a eu lieu à cet endroit ».

Tout à coup, de nouveaux éléments nous échappent qui concernent le but poursuivi par les Israéliens. Soit le Major-Général n'avait pas confiance dans l'enquêteur, et l'on ne comprend pas qu'il lui ait confié une mission d'une telle importance, soit il avait confiance en lui, mais ne devait en aucune manière altérer ses conclusions. S'il lui a gardé sa confiance, mais a modifié ses conclusions, c'est peut-être parce qu'il n'a pas été vraiment convaincu qu'il existait un lien incontestable entre l'investigation et toutes les conclusions du rapporteur.

Ce paradoxe jette un autre regard sur l'affirmation de Charles Enderlin selon laquelle « le général Yom Tov Samia, commandant de la région militaire sud, mènera sa propre enquête dans l'intention de prouver que ses hommes ne sont pas responsables de la mort du petit Mohamed » [1].

Mais de quelles conclusions parle-t-on ? Apparemment de celles qui concernent la provenance des tirs meurtriers. Cependant, il existe d'autres conclusions à l'enquête qui n'ont strictement rien à voir avec l'investigation.

Celles-ci portent sur ce que j'ai appelé plus haut « l'univers de signification » donné à l'événement, univers reconstruit d'ailleurs « à la

---

1. In *Le Rêve Brisé,* idem. Le lecteur sait désormais que ce n'est pas lui mais Shahaf et Doriel qui ont fait l'enquête. Par ailleurs, en posant la référence de sa note (« Interview de Yom Tov Samia par Bob Shimon, Sixty Minutes, CBS ») à cet endroit, Enderlin va même jusqu'à laisser entendre que c'est ce que le général lui-même avoue dans son interview. En fait, nous notons l'attitude pour le moins ambivalente (pour ne pas dire inhibée) des autorités israéliennes. Elles semblent ne pas oser contredire la thèse palestinienne. Or, soit elles sont convaincues, et cette enquête n'a pas lieu d'être, soit elles prennent le risque de la contredire, mais alors elles doivent aller jusqu'au bout, ce qu'elles ne font pas.

louche » et sans aucune précaution intellectuelle, puisqu'il n'y est question que de préjugés inadmissibles sur les « Musulmans ». Il y a donc tout lieu de penser (ce n'est qu'une supposition) que ce haut responsable de l'armée israélienne s'est dit la chose suivante : si je valide les conclusions balistiques, je dois nécessairement valider les conclusions « personnelles » Or, comme il a vu dans ces dernières des assertions « politiquement incorrectes » (et avec lesquelles il était peut-être lui-même en désaccord), il a refusé de les reprendre à son compte. Du même coup, il s'est arrogé le droit d'atténuer les résultats accusatoires de l'enquête.

Pour le dire autrement, il s'est comporté comme quelqu'un qui détenait un explosif et qui, au lieu de l'utiliser à des fins militaires, l'a copieusement arrosé d'eau, afin de le transformer en un « pétard mouillé ». Il a préféré cette stratégie plutôt que l'autre, sachant que la dernière n'aurait pas manqué de produire un effet rétroactif sur l'enquête même. Les Palestiniens auraient pu affirmer que l'enquête avait été menée de telle sorte qu'elle avait pour unique but d'accuser les tireurs palestiniens. Du même coup, il s'est imaginé qu'il sauvait le bien fondé de l'enquête, même s'il n'en retenait pas tous les résultats.

L'article de Haaretz

Un article « *IDF (Forces de Défense Israéliennes) se tire une balle dans le pied. Les efforts de l'armée pour intéresser les journalistes à une preuve douteuse concernant des ratés dans le cas Al Dura* » [1], paru le

1. Titre original : *IDF keeps shooting itself in the foot.* Army efforts to interest journalists in a dubious probe of the al Dura case backfires, par Cygielman Anat. Voici le commentaire du Général Mofaz, sous le titre « Mofaz : l'enquête al Dura a été faite à l'initiative du Commandant du Sud » (« probe was initiated by Southern Command ») par Cygielman Anat, publié le 8/11/00. « Shaul Mofaz, le Chef d'Etat-Major, a dit à la Commission des Affaires Etrangères et de la Défense de la Knesset hier que l'équipe qui avait examiné les circonstances de la mort de l'enfant de douze ans Mohammed al Dura au carrefour de Netzarim avait été à l'initiative du Commandant du Sud, le Général Yom Tov Samia et non à celle du Chef d'Etat-Major. Mofaz a promis aux membres de la Commission qu'il chercherait comment la décision d'établir cette commission d'enquête a été prise et pourquoi elle a choisi les méthodes particulières qu'elle a utilisées....selon *Haaretz,* ce sont deux civils le physicien Nahum Shahaf et l'ingénieur Yosef Doriel, qui ont commencé des reconstitutions, après avoir contacté Samia et avoir défendu l'idée que le fait que les balles de l'IDF aient tué l'enfant était peu vraisemblable. Samia nomma Shahaf à la tête de la commission, en dépit du fait que le physicien ne disposait pas d'expérience dans des domaines essentiels à l'enquête. Questionnant Mofaz sur le rapport de la commission, MK Ophir Pines-Paz (One Israël) dit : « On a l'impression qu'au lieu de se confronter sincèrement à l'incident, IDF a choisi de mettre en scène une reconstitution fictive et de dissimuler l'incident au moyen

7 novembre 2000, dans le journal *Haaretz*, mentionné plus haut, nous révèle les aspects souterrains de l'enquête israélienne. Il revient sur la reconstitution (de la bataille de l'affrontement de Netzarim et de la mort de Mohamed Al Dura) qui

---

d'une enquête dont les conclusions sont prévues et dont le seul but est de dégager la responsabilité d'IDF pour la mort de Dura » (« Chief of Staff Shaul Mofaz told the Knesset Foreign Affairs and Defense Committee yesterday that the team looking into the circumstances of the death of 12-year-old Mohammed al Dura at the Netzarim junction was put together at the initiative of GOC Southern Command Major General Yom Tov Samia and not the General Staff. Mofaz promised the members of the committee that he would look into how the decision to form the investigative committee was reached and why it had chosen to employ the particular methods it has used.

Mofaz fielded questions about the investigation into the death of al Dura after Ha'aretz reported yesterday that the IDF had staged re-enactments of the Netzarim shootout. These re-enactments, Ha'aretz reported, were initiated by two civilians, physicist Nahum Shahaf and engineer Yosef Duriel, who contacted Samia and argued that it is implausible that the boy was shot by IDF bullets. Samia appointed Shahaf to head the committee despite the fact that the physicist lacks experience in areas critical to the inquiry. Questioning Mofaz about the committee's report, MK Ophir Pines-Paz (One Israel) said, « One gets the impression that instead of genuinely confronting this incident, the IDF has chosen to stage a fictitious re-enactment and cover up the incident by means of an inquiry with foregone conclusions and the sole purpose of which is to clear the IDF of responsibility for al Dura's death »).

a eu lieu le 23 octobre 2000 et à laquelle Nahum Shahaf et Yossef Doriel ont pris part.

Après avoir rappelé l'importance de l'événement pour les Israéliens comme pour les Palestiniens, d'autant que ceux-ci ont introduit l'image d'un Israélien en train de tirer dans des images du reportage initial, mais aussi pour les pays avoisinants comme l'Egypte qui a décidé d'appeler Mohamed Al Dura la rue où se trouve l'ambassade israélienne, l'auteur précise que, peu après les événements, IDF pensait qu'il y avait une haute probabilité que la mort de l'enfant fût le résultat des tirs israéliens.

Puis, l'article nous apprend qu'Israël a exprimé ses regrets attristés pour cette tragédie. IDF assume l'irréversible dommage fait à sa réputation. Mais le Commandant du Sud a regretté la décision hâtive d'Israël d'endosser la responsabilité de la mort de l'enfant, d'autant que des informations sont venues le convaincre qu'il était impossible que les soldats israéliens l'aient tué. C'est d'ailleurs l'avis de Shahaf et Doriel.

C'est pourquoi, deux jours plus tard, Doriel a écrit dans *Haaretz* que « le porte-parole d'IDF mérite le prix de la stupidité... Dix minutes après l'incident, un porte-parole normal aurait catégoriquement affirmé que des provocateurs avaient ouvert le feu contre des soldats israéliens, dans le dos de l'enfant, pour s'assurer qu'il soit tué devant les caméras ; après quoi ils n'avaient plus qu'à tuer le conducteur de l'ambulance qui tentait de le sauver. Le but était que les Palestiniens appuient leur propagande sur une conduite meurtrière des soldats israéliens ».

Puis, Shahaf (accusé par l'auteur de l'article d'avoir déclaré être en possession de photos prouvant que Ygal Amir n'était pas impliqué dans l'assassinat de Rabin [1]) et Doriel étudient ensemble l'angle de tir des hommes d'IDF et affirment qu'on doit mettre en doute le fait qu'ils aient tué l'enfant. Shahaf laisse de nombreux messages au commandant Samia aussitôt qu'il apprend que IDF prévoit de démolir les structures qui se trouvent à Netzarim. Mais, lorsque Samia lui répond, c'est trop tard. Pour autant, Shahaf, Doriel et Samia se rencontrent le 19 octobre. Shahaf parle « d'enquête impartiale » dans laquelle l'armée ne peut intervenir. Samia est d'accord, mais ne signe aucun ordre de mission. Cinq jours plus tard, Doriel expose sa thèse devant les caméras de l'émission israélienne « 60 minutes », la mort de Al Dura a été mise en scène afin qu'il devienne un symbole et que la réputation d'Israël soit ternie dans le monde entier. Les acteurs sont des tireurs palestiniens, un cameraman de la télévision française qui a reçu des instructions en termes de production, et

1. Je reviens plus loin sur cette rumeur calomniatrice.

le père Jamal Al Dura qui apparemment ne comprend pas que son rôle va se terminer avec la mort de son fils [1].

L'article nous apprend alors que lorsque Samia entend parler de cet interview, il exclut Doriel de l'enquête. Shahaf lui reproche, lui aussi, de ne pas prouver ce qu'il avance et continue l'enquête seul en montrant des erreurs de mesure dans la première reconstitution. Quant aux tests balistiques, Shahaf reconnaît qu'il n'est pas un expert en la matière. Mais, pour lui, les avoir étudiés suffit.

L'article nous apprend aussi que Charles Enderlin pose alors des questions complémentaires au sujet de la méthodologie de l'enquête fait par IDF. Le reportage de France 2 prouve l'évidence des circonstances de la mort de l'enfant. Shahaf demande alors à Enderlin l'autorisation de visionner les rushes, sans mentionner que c'est dans un but professionnel. En revanche, il se présente comme un professionnel des médias. Shahaf envoie un fax à Enderlin dans

1. Cette émission fera grand bruit. Un exemple : dans les Archives Al-Bushra, on peut lire sous la plume de Labib Kobti, le 7 novembre 2000 : in *Please call 60 minutes : « 60 minutes* tente de raconter des histoires sur Muhammad Al-Dura en se plaçant du point de vue des Forces de Défense d'Israël » (« 60 Minutes is planning to do a story on Muhammad Al-Dura from the Israeli Defense Force's perspective »).

lequel il lui demande la version complète et inédite du reportage et lui fait savoir qu'il la présentera dans les forums sur les médias, les écoles. Enderlin s'y oppose, puis découvre par la suite que Shahaf a des liens avec l'enquête d'IDF et n'accepte alors de faire connaître le matériel que si une demande en bonne et due forme lui est transmise.

Quant à Doriel, il est furieux que le porte-parole d'IDF ne veuille pas « dire la vérité ». Il pense qu'IDF a quelque intérêt à se comporter de la sorte. Il prétend que les Palestiniens avaient une seconde position, et que c'est de là que les balles tueuses ont été tirées. Il pense que la raison pour laquelle IDF conserve ce secret est « explosive ».

L'auteur de l'article conclut ainsi : « En choisissant Shahaf et Doriel, IDF s'est à nouveau tiré une balle dans le pied ». Car, même basées sur des fondements scientifiques et professionnels, les conclusions de l'enquête ne sauraient être acceptées par le public ».

Le moins que l'on puisse dire est que cet article rend compte du trouble qui a caractérisé l'enquête. Il semble scientifiquement établi que les Israéliens n'ont pu tuer l'enfant, mais cette conclusion n'est pas crédible du fait que le Commandant (Samya) exclut l'ingénieur (Doriel) et que le physicien (Shahaf) accuse ce même ingénieur de ne pas avoir démontré ce qu'il avance [1].

---

1. Le 7 mars 2001, le State Department Country reports on Human Rights Practices : road map for budgeting of democracy and human rights programs of the state department, affirme, pour sa part : « Le plus flagrant exemple d'obscurcissement concerne le meurtre de Muham-mad Al-Dura, âgé de 12 ans dont le meurtre fut filmé. Le rapport mentionne l'investigation d'IDF, mais néglige de mentionner que cette soi-disant investigation a été complètement discréditée. L'investigation avait été initiée par deux volontaires civils sans expérience en balistique ou en matière de règle d'engagement, qui avaient approché IDF avec la théorie selon laquelle le meurtre de al-Dura avait été mis en scène par les Palestiniens, y compris le père, qui, selon eux, travaillait avec l'équipe de France 2 dont le reportage fut diffusé dans le monde entier. Même le Chef d'Etat-Major Shaul Moffaz s'est désolidarisé de cette enquête. Le Congrès devrait demander comment on a pu conserver une désinformation aussi flagrante dans le rapport » (« The most blatant example of obfuscation is on the killing of 12-year-old Muham-mad al-Dura, whose killing was captured on video. The report mentions the IDF investigation, but neglects to mention that the so-called investigation was completely discredited. The investigation was initiated by two civilian volunteers with no experience in ballistics or rules of engagement, who approach the IDF with a theory that the killing of al-Dura was staged by Palestinians, including his father, who they claim were working with the French TV crew whose videotape was seen worldwide. Even the Israeli chief of staff, Shaul Mofaz, disassociated himself from this investigation. Congress should ask how such blatantly misleading information was allowed to stay in the report ». House of Representatives, Subcommittee on International Operations and Human Rights, Committee on International Relations, Washington, DC »).

En revanche, l'article rend la position d'Enderlin on ne peut plus claire : tant que l'armée israélienne ne demandera pas officiellement à France 2 de visionner les rushes et tant que la chaîne n'aura pas donné son accord, celle-ci est, en effet, tout à fait fondée à les protéger.

Ainsi, à la lecture de l'ensemble des informations contenues dans ces dossiers, c'est la confusion qui domine [1].

---

1. Pour ceux qui ignorent encore les résultats de l'enquête israélienne mais qui sont convaincus que les soldats israéliens n'ont pas pu tuer cet enfant de sang-froid, le combat de l'information porte encore essentiellement sur ce point. Ce que montrent les analyses figurant dans le dossier réalisé par le mensuel juif français, *l'Arche*, n° 513, novembre 2000.

S'interrogeant sur le thème : Israël éternel coupable, Meïr Weintrater et ses collaborateurs réfléchissent sur « l'exemple de la mort du petit Mohamed ». Weintrater tente une synthèse : « la mort du petit garçon est tragique, mais il s'agit d'un accident et non d'un meurtre délibéré. Pour le comprendre, il fallait voir l'image dans son ensemble. Raphaël Drai dénonce la décontextualisation de l'image en ces termes : « Cette fois, l'image-choc aura été celle d'un enfant palestinien, Mohamed, abattu par une balle israélienne, un enfant qui meurt dans les bras de son père sans que personne ne lui porte secours. Cette tragédie s'est produite le 4 octobre (sic !) ». Jean Vidal décrit « ce qui s'est vraiment passé à Netsarim », en éclairant son article de la photo du carrefour. Son propos est d'expliquer « un accident tragique » et pourquoi les responsables de Tsahal ont douté que le petit garçon et son père aient été victimes de balles israéliennes, puis sont parvenus à la conclusion qu'il était matériellement possible que tel fut le cas, pour conclure qu'en tout état de cause, il est évident que les soldats israéliens ne

Aussi comprend-on, aisément, qu'une journaliste, Esther Schapira, ait pu vouloir en savoir plus.

La reconstitution télévisuelle d'Esther Schapira

Dans un article intitulé : *Mohamed Al Dura et FR2 : les questions en souffrance !*[1], je fais état du saisissement qui fut le mien lorsque, bien après les événements, j'eus l'occasion de visionner le reportage de cette journaliste. Je me propose donc d'exposer à nouveau le fil directeur de ce reportage et les questions qui sont venues à mon esprit à ce moment-là.

En ce jour du 30 septembre 2000, c'est Roch Hachana, la fête du nouvel an juif. Les Israéliens savent que les Palestiniens vont manifester leur colère en un de ces lieux de crispation du conflit israélo-palestinien où, les jours ouvrés, des

---

pouvaient identifier les deux silhouettes cachées entre le muret et la poubelle (sic !)... Le cameraman n'est pas en cause : il a fait son métier dans des conditions périlleuses, et le document qu'il a obtenu devait être diffusé ». Enfin, pour Michel Zlotowski, « il n'y a pas eu d'explication, et tous les téléspectateurs de cette scène horrible resteront avec l'impression erronée que les soldats voyaient parfaitement l'enfant, qu'ils l'ont sciemment tué et blessé son père ».

1. Info Metula News Agency, # 011806/2. Pour les besoins de mon exposition, l'écriture se fait désormais à la première personne.

Israéliens des implantations passent en bus pour se rendre à leur travail. Ils s'attendent donc, comme d'habitude, à des lancers de cocktails Molotov contre lesquels ils riposteront avec des balles en caoutchouc.

Or, première surprise, il y a plus de monde que prévu, en ce jour. Il est vrai que c'est un jour de grève. Plus de monde et plus de journalistes que d'habitude. Et surtout, les Palestiniens tirent à balles réelles.

Le destin de Mohamed se joue ce même jour, lorsqu'il se trouve que son père, curieusement non informé de la grève, décide d'aller à Gaza acheter une voiture. Car celui-ci emmène son fils, ce que sa femme n'apprendra que plus tard. Les commerces étant fermés, Mohamed et son père s'en retournent en taxi. Ils sont alors arrêtés par un barrage israélien et doivent rentrer à pied. Au lieu de passer par l'orangeraie, ils passent par la route où, soudain, une fusillade éclate. Les Palestiniens tirent à l'arme automatique. Les Israéliens répliquent au coup par coup, à balles réelles également. Pendant 45 minutes, Mohamed et son père sont accroupis derrière un baril surplombé d'une pierre. L'endroit où ils se trouvent est désert. Ils observent les tirs croisés dans la crainte et l'effroi. Soudain, un nuage de fumée : l'enfant meurt et le père est blessé. Qui les a pris pour cibles ?

Le reportage, confirme les développements précédents. Au moment où Charles Enderlin affirme que ce sont les Israéliens, rien, strictement rien ne l'autorise à le faire. Contrairement à ce qu'on pourrait croire, il n'a pas vu la scène en direct. Il se contente donc de se référer aux images que lui a données Talal Abu Rahmé et au témoignage de celui-ci, lequel reconnaît lui-même qu'au moment précis de la mort de l'enfant, un nuage de fumée l'a empêché de prendre des images.

Le reportage d'Esther Schapira nous conduit également à poser la même question que plus haut : sur quelles images Enderlin s'est-il appuyé pour faire son commentaire, même si elle introduit une variante ? S'agit-il des vingt-sept minutes de tournage ou des six minutes (selon elle) dont il extrait cinquante secondes pour la diffusion ? Les choses ne sont pas claires. De toute façon, ce n'est pas le cameraman qui décide de ce qui doit être diffusé, c'est Charles Enderlin, et lui seul. Ce n'est pas le cameraman qui fait le commentaire, c'est Charles Enderlin et lui seul. Or, la sélection des images (les cinquante secondes) retenues par Charles Enderlin soulève de nombreuses questions, parmi lesquelles il est possible de noter les suivantes :

1. Pendant les soixante (selon ce qui est dit dans le reportage) ou les vingt-sept minutes

(selon le cameraman) qui ont été filmées sur l'affrontement, un certain nombre de personnes sont à découvert. Or, dans la bande de cinquante secondes, seuls le fils et son père sont touchés. Comme nous l'avons noté plus haut, il est certes question aussi d'un conducteur d'ambulance qui serait mort, mais aucune image ne l'atteste.

2. De nombreux Palestiniens tirent à l'arme automatique *Kalachnikov* calibre 7,62, mais nul ne peut les voir. Quant aux Israéliens, ils tirent, eux, aux M16, mais on ne les voit pas tirer non plus. Pour Esther Schapira, la différence de calibre est essentielle, mais, j'apprendrai plus tard, lors de mon entretien avec Nahum Shahaf, l'expert israélien qui apportera un éclairage totalement nouveau sur la scène de Netzarim, que cette différence n'est pas significative, étant donné que Israéliens et Palestiniens détiennent les deux types d'armes.

3. La bande de cinquante secondes fait apparaître deux plans sans continuité, comme s'ils avaient été délibérément collés bout à bout. Dans l'une, Mohamed est vivant, dans l'autre, il est mort, affalé sur son père, lequel, par la suite, devient inerte, après s'être incliné sur le côté.

4. Selon le fil même du commentaire d'Enderlin, il n'existe aucun mobile militaire

pour que les Israéliens tuent ces deux personnes, mais ils sont pourtant accusés d'avoir pris Mohamed et son père pour « cibles ».

5. Le jour même, la bande de cinquante secondes est diffusée gratuitement par France 2 auprès de toutes les chaînes du monde entier (Enderlin dira plus tard qu'on « ne fait pas de l'argent avec la mort d'un enfant », exigence on ne peut plus éthique), mais la bande des six minutes (si elle existe) et les rushes font l'objet d'un embargo total, qui dure encore.

6. Interrogé par mes soins, le médiateur de France 2 soutient que ces cinq minutes et dix secondes n'apporteraient rien aux cinquante secondes qui ont été diffusées et qu'il est inutile de les projeter.

7. Le reportage d'Esther Schapira n'a été diffusé à ce jour par aucune chaîne française de télévision.

Autant de questions auxquelles nul ne peut, en France, apporter de réponses à ce jour, à l'exception de France 2 et de Charles Enderlin.

Pourtant, à la différence de ARD qui tient les téléspectateurs allemands pour des personnes matures, capables de juger objectivement un fait dont l'explication est âprement discutée par les protagonistes en présence, et, qui plus est, ennemis les uns des autres, France 2 refuse, apparemment, d'accorder le même certificat de maturité aux téléspectateurs français.

Serait-ce parce que le reportage d'Esther Schapira pose une série de questions qui ne sont pas du tout abordées par la bande diffusée par France 2 et qui portent toutes sur la légèreté des conclusions hâtives de Charles Enderlin dont nous avons fait état dans nos développements précédents [1] ? En voici une liste, qui, loin d'être exhaustive, permet cependant au lecteur de se faire une première idée sur la question.

1. Le reportage d'Esther Schapira met en évidence l'absence de preuves attestant que les militaires israéliens auraient assassiné le petit Mohamed.

2. L'autopsie du petit Mohamed aurait pu apporter de sérieux indices notamment au sujet

---

1. Le 4 novembre 2002, lors de la seconde partie de l'émission consacrée au « Rêve Brisé » de la paix d'Oslo, Enderlin s'abstiendra de commenter les images de la mort de Mohamed Al Dura. Volonté de ne pas remuer le couteau dans la plaie ou d'indiquer que, compte tenu de ce que l'on sait aujourd'hui, il n'est ni possible ni souhaitable de faire le même commentaire qu'à l'époque ? En tout cas, ce silence n'équivaut pas à un démenti explicite et formel.

de la nature des balles qui l'ont *tué* : balles de M16 calibre 5,56 israéliennes ou de Kalachnikov calibre 7,62 palestiniennes, même si ces indices auraient été loin d'être concluants. Or on ne les retrouvera jamais. Comme nous l'avons dit plus haut, il n'y aura pas d'autopsie. Une enquête aurait pu apporter quelque lumière sur la provenance des balles, car, tirées de la base israélienne, les balles M16 ne pouvaient pénétrer le muret auprès duquel se trouvaient terrés Mohamed et son père (que les soldats israéliens ne pouvaient d'ailleurs pas voir d'en haut, puisque le père et son fils étaient également cachés par la pierre qui surplombait le baril), ce qui n'était pas le cas des balles de kalachnikov tirées à proximité. Mais, il n'y eut pas d'enquête non plus, car, comme devait le dire bien plus tard un responsable palestinien dans le reportage mentionné : à quoi bon une enquête, lorsqu'on sait qui est le coupable.

3. Le père de Mohamed apparaît indemne quelques temps plus tard, après avoir refusé à son patron israélien Moshé (qui était aussi un ami auparavant) d'être soigné dans un hôpital israélien.

4. Le reportage d'Esther Schapira nous confirme aussi qu'une semaine après les événements, un responsable militaire israélien en

rajoute malgré lui. Il prend la décision de détruire cet emplacement que les Palestiniens appellent « le carrefour des martyrs ». Quand la journaliste lui demande s'il a bien fait, il répond que, même s'il a effacé les preuves de l'innocence des soldats israéliens, il a certes bien agi, puisque sa mission est d'empêcher que de nouvelles fusillades éclatent à cet endroit.

5. Deux mois plus tard, l'armée israélienne qui a, auparavant, parlé de la mort du petit Mohamed comme d'un événement tragique, donne des explications justificatives détaillées à la presse, mais dans l'indifférence générale.

Ce reportage a fait l'objet de critiques. Nous en présentons deux : l'une israélienne, l'autre française.

Une critique du reportage d'Esther Schapira par un historien israélien

Le 22 mars 2002, Tom Segev, historien connu pour avoir revisité les aspects légendaires de la fondation de l'Etat d'Israël, tout en affirmant son attachement au sionisme (ce qui n'est pas le cas de tous les historiens qui ont fait la même démarche que lui) écrit un article, dans *Haaretz*, pour critiquer le reportage d'Esther Schapira, sous le titre : *Qui a tué Mohammed al-Dura – un nouveau reportage par la télévision allemande nous en apprend plus sur les médias et sur les insuccès du porte-parole d'IDF que sur la mort d'un jeune garçon.*

Connaît-il le dossier à fond ? Rien n'est moins sûr. En effet, il ne fait pas état des contradictions et autres incohérences que nous avons mentionnées, mais se contente de dire ce qu'il pense du reportage « Trois balles et un mort » de Schapira.

1. Le reportage donne l'impression que l'enfant a été tué par le feu de l'armée israélienne, mais il se peut qu'il n'en soit pas ainsi. L'armée israélienne, qui a initialement explicité ses regrets, a reconnu implicitement sa responsabilité. Mais, après-coup, elle affirme que l'enfant a été tué par le feu des fusils palestiniens.

2. Il montre que l'enfant a apparemment été la cible du côté palestinien et non de l'IDF. Mais, il n'a rien à nous montrer sur la mort de l'enfant. En revanche, il en dit beaucoup sur les médias et la propagande, sur le pouvoir des mythes et sur les insuccès du porte-parole d'IDF.

3. Esther Schapira ne fournit pas un seul détail prouvant que l'enfant n'a pu être tué par l'armée israélienne. Elle se contente d'affirmer qu'il est impossible de tenir pour sûr qu'il a été tué par elle. Il peut avoir été tué par des Palestiniens qui se tenaient sur une position élevée d'un bâtiment. Mais, peut-être pas.

Puis Segev souligne les lacunes de la reconstitution.

1. Les photos ne prouvent rien. Les balles ne sont pas examinées. On ne sait si elles ont été extraites ou non du corps du père ou du fils. Ce que le père dit est contradictoire avec ce que les médecins disent. Le mur a été détruit par IDF, bien que des photos demeurent. On y voit les impacts de balles. Aucune cour de justice ne prendrait en compte les arguments des fusils.

2. En l'absence de preuves, Esther Schapira tente de deviner. Pourquoi les Israéliens auraient-ils voulu tuer le garçon ? Comment est-il possible qu'il y ait eu 45 minutes de tirs sans qu'il fût atteint ? Qu'est-ce qu'ils faisaient là ? Un instant, les victimes deviennent les criminels. Que cache Talal Abu Rahmé ?

3. Schapira tente de faire croire que France 2 a caché du matériel supposé opposé à la thèse selon laquelle ce sont les Israéliens qui ont tué l'enfant.

4. Quant aux preuves du général Samia, elles arrivent trop tard et ne prouvent rien. Les témoignages de trois soldats israéliens au visage dissimulé non plus. Enfin, le porte-parole de l'armée n'a rien de concret à dire.

5. Les seuls apports du reportage concernent : la propagande palestinienne et Moshe, le patron israélien de Jamal.

Le seul *scoop* est une vidéo montrant Mohamed et son père parmi les invités de Moshé, à l'occasion de la bar-mitzvah de son fils.

On le voit, Tom Segev se contente de souligner les faiblesses du reportage d'Esther Schapira.

Une critique du reportage d'Esther Schapira par un journaliste français

Dans « *Flagrant délit de désinformation sur le Proche-Orient*[1], Denis Sieffert n'hésite pas à ensevelir le débat ouvert par la prise de position de Alain Finkielkraut, Jacques Tarnero et Shmuel Trigano, sur les questions posées par le reportage d'Esther Schapira en le caricaturant comme « un chou gras » de plus, faisant l'affaire de « justiciers ».

Il commence par minimiser un fait majeur de désinformation (la rumeur du *Nouvel Observateur* selon laquelle des femmes palestiniennes avaient été violées par des soldats israéliens) qu'il réduit à une « malencontreuse erreur » qui a fait l'objet d'excuses présentées par Jean Daniel, pour introduire l'idée de leur mauvaise foi. Puis il énonce lui-même l'intérêt pour ce débat en ces termes :

1. In *Politis*, 4 juillet 2002

« Il s'agit évidemment des images de la mort du petit Mohammed Al Dura, atteint par une balle alors qu'il était blotti derrière son père, l'un et l'autre recroquevillés derrière un mur, non loin de la colonie juive de Netzarim, dans le centre de la bande de Gaza ».

Sieffert, qui ne mentionne pas l'existence de plusieurs balles, rappelle alors les faits à sa manière. « Le 30 septembre 2000, deux jours après la visite provocatrice d'Ariel Sharon sur l'esplanade des Mosquées de Jérusalem, les incidents se multiplient dans les territoires palestiniens. Des affrontements éclatent à proximité de la colonie de Netzarim, occupée par une quinzaine de familles israéliennes. Cette implantation, qui contrôle la route principale qui traverse la bande de Gaza du nord au sud, est considérée par les Palestiniens comme un symbole de l'occupation. Elle est défendue en permanence par l'armée qui, ce jour-là, réplique aux jets de pierres et de cocktails Molotov d'abord par des balles en caoutchouc et des grenades lacrymogènes, puis à balles réelles ».

Sieffert omet de dire que de l'avis même du cameraman de France 2, ce sont les Palestiniens qui, les premiers, ont tiré à balles réelles.

« Talal Abou Rahmeh découvre un père et son fils qui tentent de se protéger derrière un mur de béton. Soudain, ils sont pris pour cibles. L'enfant est d'abord blessé à une jambe, puis touché mortellement ».

En fait, comme tous les témoins du drame d'ailleurs, Sieffert est incapable de dire où la ou les balles mortelles l'ont touché.

« Son père, qui tente de faire écran de son corps, est lui-même grièvement blessé. Selon tous les témoins, les tirs proviennent de la position israélienne ».

Là, Sieffert utilise la même expression que celle que Charles Enderlin publiera, quelques mois plus tard, dans son livre *Le Rêve Brisé*, sans être en mesure de citer le moindre de ces témoins.

« Les images de France 2 feront le tour du monde. La mort du jeune garçon deviendra le symbole de la deuxième Intifada ».

Sieffert ne dit pas que France 2 a tenu à ce que ces images fassent le tour du monde, puisque la chaîne publique a décidé de les diffuser gratuitement.

« Presque deux ans après les faits, Finkielkraut et Tarnero osent affirmer devant un auditoire acquis à leur cause qu'une contre-enquête a établi que les tirs étaient de provenance palestinienne. Sans l'ombre d'un contradicteur, mais surtout en ignorant ce qui a été dit et écrit sur ce sujet, ils accusent toujours France 2 d'avoir caché la vérité à ses téléspectateurs ».

La question du contradicteur est soulevée pour donner à croire que ces intellectuels sont des propagandistes de la cause israélienne.

« Leur principal argument réside dans le fait que la chaîne allemande ARD a diffusé une « contre-enquête » que France 2 se refuserait à diffuser ».

Le conditionnel n'est pas de mise. France 2 se refuse alors, et aujourd'hui encore, à le diffuser.

« Le correspondant de la chaîne française à Jérusalem, Charles Enderlin, a pourtant déjà eu maintes fois l'occasion de rappeler que le document diffusé par ARD avait été réalisé par l'armée israélienne, et proposé à toutes les chaînes de télévision. Mais Finkielkraut et Tarnero, dans leur conception de l'information, ne voient, semble-t-il, aucun inconvénient à ce que l'on propose aux téléspectateurs un document de source militaire. Entre le reportage des journalistes de France 2 et un document livré clés en main par les services de communication d'une armée, ils n'ont pas l'ombre d'une hésitation ».

Le journaliste de *Politis* fait porter le chapeau de cette grave accusation contre l'objectivité d'une journaliste et contre une chaîne de télévision par Charles Enderlin, lequel n'a jamais dit, à notre connaissance, qu'il y avait un lien organique quelconque entre eux et l'armée israélienne.

CONCLUSION SUR LE REPORTAGE D'ESTHER SCHAPIRA

Au terme de notre réflexion, il apparaît comme évident que ce reportage ne trouble en aucune manière les commentateurs officiels de l'événement.

Certes, il introduit l'esprit critique. Mais, les questions qu'il pose ne sont pas toutes pertinentes, d'autant que la journaliste doit se prévaloir d'enquêtes et de reconstitutions parfois ratées sur le plan professionnel.

En définitive, ce reportage peut servir de révélateur, et inviter les téléspectateurs à prendre conscience qu'un doute profond existe sur les explications officielles de la mort de Mohamed Al Dura.

Mais il se heurte à l'esprit du temps qui veut que, si les circonstances de cette mort ne sont pas claires, sa signification légendaire n'en est pas moins d'ores et déjà fermement établie.

Car la seule chose qui intéresse l'opinion publique mondiale, c'est, bien sûr, le fait que Mohamed Al Dura a été tué, mais aussi et surtout la conviction que sa mort prouve l'existence d'une dimension cachée du conflit israélo-palestinien, inaccessible jusqu'alors, et dont la révélation ne peut que révolutionner les esprits.

CHAPITRE III

DÉCONSTRUCTION D'UNE LÉGENDE

Un mensonge dans une catastrophe.
Victor HUGO

Une interrogation psychologique

Nous l'avons vu : instantanément, l'opinion publique a été convaincue de la culpabilité des Israéliens. Bien plus, toute tentative des Israéliens de se disculper, en accusant après-coup les Palestiniens d'être responsables du meurtre de l'enfant, est désormais prise dans une logique de désaveu qui rajoute à leur culpabilité [1].

Conscient de ce que la mort du petit Mohamed devient une « Affaire » je suis, pour ma part, tout près d'arrêter mon investigation. J'ai vu en cette mort l'exemple d'une inhumanité intrinsèque à l'humanité, puis j'ai découvert que les témoignages étaient contradictoires et que le reportage de France 2 était lacunaire. Je constate à présent

1. Ceci est confirmé par le fait qu'à l'heure où j'écris ce livre, l'armée israélienne n'a toujours pas donné sa version officielle et définitive des faits.

que nul ne cherche réellement à faire la lumière sur ce qui s'est vraiment passé et que tout est biaisé. L'Etat d'Israël, qui est pourtant prioritairement concerné, ne fait rien pour soulever la chape de plomb jetée par « l'image d'un enfant abattu de sang-froid par un de ses soldats ». Si donc les principaux protagonistes du drame ne s'opposent plus sur la façon dont il a été retransmis, à quoi bon poursuivre ma contre-expertise ?

Il y a bien cette question de sang qui n'est pas résolue, mais elle passe pour anecdotique aux yeux même des spécialistes militaires et audiovisuels, et aucun d'entre eux ne veut la poser et y répondre.

J'en suis là, lorsqu'un des lecteurs de La Ména réagit à ma dépêche en me faisant savoir qu'il peut me mettre en relation avec Nahum Shahaf, lequel détiendrait nombre de réponses aux questions que je pose. Shahaf soutient, en effet, que le reportage de France 2 porte sur une fiction, non sur un événement réel.

Comme je l'ai dit plus haut, Shahaf [1] est un physicien qui a pris part à la première enquête israélienne de Yosseph Doriel, et qui a abouti à des conclusions totalement différentes des siennes.

Ma première réaction est la surprise : ce physicien pourrait m'aider à combler les trous de

1. Président du Navigation, Targeting et Electro Optical Systems/NATOP.

l'énigme que je découvre depuis plusieurs mois, même si ses conclusions, apparemment connues de tous, sont considérées comme insignifiantes, sinon fantaisistes. Bien plus, il n'aurait pas dit tout ce qu'il savait sur ce drame.

Fidèle à ma démarche, je décide de m'entretenir avec lui. Ce sera la dernière étape de mon enquête. Si Shahaf m'apporte un éclairage nouveau et décisif, je poursuivrai, sinon j'arrêterai.

Mais, très vite, le véritable enjeu apparaît différent, et de taille. Il s'agit de savoir si je vais, au terme de cet entretien, accorder une légitimité à son discours, ou le déconstruire comme un délire négationniste. Concrètement, de ma conviction dépendra le fait que je mette Shahaf en relation avec Metula News Agency [1] ou non, pour que nous allions plus loin dans l'investigation.

Un délire est un discours qui enchaîne faussement les idées parce qu'il répond à l'impératif de justifier l'existence d'une réalité dont il est établi qu'elle n'existe pas. Ainsi, Thierry Meyssan s'efforce-t-il de démontrer l'existence d'un non-attentat, le 11 septembre 2001. Ce qui est établi, en effet, c'est que, l'attentat ayant eu lieu, le non-attentat n'existe pas. Or, justement, dans sa démarche négationniste, Meyssan veut prouver que le non-attentat existe et, par voie de conséquence, que l'attentat n'existe pas.

1. A cette époque, Juffa et Shahaf ne se connaissaient pas.

La crainte est donc grande que Shahaf procède de la même manière. La mort de Mohamed Al Dura, le 30 septembre 2000, ayant été établie, il s'efforcerait d'établir l'existence d'un non-meurtre.

Mais, au cours de notre entretien, et assez rapidement, la mise en parallèle de ces deux démarches ne me paraît pas pouvoir être maintenue.

En effet, il existe une différence de nature entre les innombrables images et témoignages de l'attentat du 11 septembre et les quelques images lacunaires de la mort de Mohamed Al Dura. Là où Meyssan se protège de l'avalanche d'images et de témoignages qui, tous, viennent anéantir sa pseudo-thèse, Shahaf demande inlassablement à ce que l'avalanche de rushes qui ont été filmés soit visionnée en détail et à ce que les contradictions et incohérences des témoignages soient élucidées. Le premier retire tout ce qui va à l'encontre de sa thèse, le second dénonce tous les retraits qui font obstacle à l'émergence de la sienne. L'un fuit les images et les mots, l'autre les convoque, conscient qu'il n'encourt pas le risque d'être pris à son propre piège ni de donner aux autres les moyens de le déconsidérer.

Il n'est pourtant pas question de conclure en faveur d'un non-négationnisme de Shahaf tant que je n'ai pas visionné, à mon tour, les images d'autres reportages sur la mort de l'enfant.

Or là, je me heurte à une nouvelle énigme dont j'ai déjà parlé plus haut. Seule France 2 a filmé ce drame. Parmi toutes les télévisions présentes sur le champ d'affrontement, pas une seule ne possède quelque photo que ce soit sur la mort de l'enfant. D'où le scoop et les prix...

Mais, je me heurte aussi à une autre dimension du dossier. En effet, tout le monde a pu constater que la mort de l'enfant a été immédiatement transformée en *légende* par les Palestiniens, lorsque ceux-ci ont inséré l'image du soldat israélien en train de tirer dans des images du reportage initial, et lorsqu'ils ont fait suivre sa mort de son enterrement comme martyr.

A ce stade de ma démonstration, je dois préciser ce que j'entends par « légende ». Il ne s'agit pas du tout d'une « imposture ». Nul ne l'a mieux définie dans ses rapports avec la réalité que le linguiste Ferdinand de Saussure, qui écrit : « Nul ne songe à supposer une parfaite coïncidence de la légende avec l'histoire, eussions-nous les preuves les plus certaines que c'est un groupe défini d'événements qui lui a donné naissance. Quoi qu'on fasse, et par évidence, ce n'est jamais qu'un certain degré d'approximation qui peut intervenir ici comme décisif et convaincant » [1]. Les person-

1. Ms.fr.3958/I. Cahier d'écolier intitulé *Niebelungen*. Cité par J. Starobinsli, in *Les mots sous les mots*, Paris, Gallimard, 1978, p. 17.

nages historiques sont « happés par la légende » (J. Starobinski [1]). Avant la légende et le mythe, il y a l'histoire. Aussi bien, l'analyser, c'est remonter d'elle vers les personnages historiques par la langue et l'inconscient, tout en sachant qu'il n'existe pas de faits « chimiquement purs » et que jamais l'on ne rétablira des faits, comme s'ils pouvaient ne pas avoir connu l'avatar des déformations dues à la transmission orale, des commentaires, des légendes et des mythes qui s'y rapportent.

L'exercice est d'autant plus difficile que toute légende s'organise à partir de personnages premiers, que Saussure appelle « symboles » dont on peut voir varier le nom, la position vis-à-vis des autres, le caractère, la fonction et les actes. Ce qui lui fait dire qu'on « devrait purement renoncer à suivre, vu que la somme des modifications n'est pas calculable », mais que, dans les faits, « nous voyons qu'on peut relativement espérer suivre, même à de grands intervalles de temps et de distance ».

Pour autant, la tâche est ardue, étant donné qu'il existe en retour des « genres de modifications historiques de la légende », notamment la substitution des noms et le fait qu'une action peut rester la même, tandis que son motif (ou but) est déplacé. Mais, l'essentiel est d'avoir confiance

1. *Ibid.*

dans le sens, non comme « une donnée préalable », mais comme « un produit variable de la mise en œuvre combinatoire » des éléments (faits, symboles).

Or, comme le montre le poème que j'ai cité dans le prologue, tout est en place pour que la mort de Mohamed Al Dura, qui est considérée comme avérée, soit construite comme un thème littéraire sacré.

On y trouve un monde divisé entre les bons et les méchants et le sort malheureux fait à un être angélique. On y trouve les ressorts psychiques d'un renversement du cauchemar en rêve. Mais, on y découvre surtout une réponse au besoin des Palestiniens d'avoir un lieu où ils sont vraiment eux-mêmes.

N'importe qui peut observer que les Palestiniens sont dans une situation de non-lieu étatique. Un pas de plus permet de comprendre qu'ils vivent leur situation comme celle d'un peuple jeté dans un non-lieu existentiel. Dès lors, il leur faut impérativement trouver un lieu où être vraiment eux-mêmes. Où ils seront sûrs d'être compris et acceptés tels qu'ils sont, y compris avec leurs faiblesses.

Allons plus loin : leurs qualités (celles qui consistent à œuvrer pour avoir un Etat, les accords de paix...), ils savent que tout le monde les appréciera. Pour elles, ils n'auront pas besoin d'une

« famille ». Mais, ils savent aussi que ce qui fait une « famille », c'est qu'ils soient acceptés avec leurs faiblesses et leurs défauts. Alors, pour eux, que la mort de l'enfant se soit ou non passée comme cela, même si leur conviction est forcée, cela compte pour peu, en regard de ce que cela signifie, qu'il ait été tué par les Israéliens.

Cette légende se met donc en marche trois heures après la mort de l'enfant, lorsqu'il est enterré en martyr. En trois heures, Mohamed Al Dura devient le symbole de la seconde Intifada à peine commençante, c'est-à-dire le héros de la lutte de libération nationale et théologique des Palestiniens et des Musulmans.

Chacun à sa manière, l'ingénieur Yosseph Doriel et le physicien Nahum Shahaf, mais aussi et surtout le Major-Général Yom Tov Samia et les responsables politiques de l'Etat d'Israël, passent alors complètement à côté de l'événement. Ils le perçoivent, mais ils l'interprètent à la lumière de ce qu'ils ont compris du peuple palestinien. Ils ne voient que propagande, là où, en fait, il s'agit d'une puissante élaboration collective instantanée (je ne dis pas spontanée). Les Palestiniens mettent trois heures à construire et diffuser une légende, là où, dans le passé, les Occidentaux ont mis des mois, voire des années, à faire de même pour leurs héros.

On peut gloser sur les raisons de cet aveuglement israélien, mais il faut surtout prendre conscience du décalage qu'il signifie entre les modes de fonctionnement des peuples et, notamment, leurs modes d'utilisation des technologies les plus sophistiquées.

Inventeur des techniques audiovisuelles, l'Occident a l'habitude de construire des légendes qui s'effondrent ou perdurent en fonction de la loi de l'offre et de la demande. Les économies capitalistes du cinéma et de la télévision exigent que ces légendes soient construites en fonction de leur cycle d'inventions et de disparitions. Aucune d'entre elles ne doit s'imposer de manière historique et durable aux autres. Les films ou séries « cultes » sont bien destinés à parer cette difficulté, mais uniquement sur le plan de la commercialisation des images. La culture occidentale de l'image est donc vide. Bien plus, elle comble ce vide à l'aide d'images qui visent le vide en abîme : sexualité sans amour, meurtres, automutilations... Les tentatives de « plein » sont immédiatement décriées et, de toute façon, elles disparaissent à leur tour dans le néant du tourbillon des images. Il est donc totalement impossible à l'Occident de comprendre qu'une culture orientale puisse extraire la logique de construction des légendes de cet univers commercial pour lui donner, non seulement le rôle d'instrument au service d'une cause, mais de scribe de la réalité (ce qui, somme toute, s'est vu dans le passé et se voit encore très souvent, en Occident, notamment en temps de guerre, lorsqu'il s'agit de se donner des « héros »).

Or, on peut dire qu'avec la transformation de la mort de l'enfant en martyr, la culture palestinienne invente un nouveau mode d'inscription non seulement de la pensée (comme toute création), mais de la réalité.

C'est incontestablement ce qui fascine les professionnels occidentaux du cinéma et de la télévision. Ils ont, en effet, trouvé leurs maîtres.

Cette légende se développe d'abord sous la forme d'un mythe sanctificateur organisé lors des tournées médiatiques du père dans le monde arabo-musulman, et véhiculé par l'éducation systématique des écoles palestiniennes à la haine des Israéliens sur le registre : *« les Israéliens ont tué notre ami. Honte sur eux »*. Ainsi, des classes entières jouent et rejouent la mort du petit Mohamed, aussi bien à l'école que dans les camps de vacances.

Puis, cette légende s'enrichit d'un contenu théologico-politique qui n'a rien à voir avec l'événement : la juste cause du suicide comme arme de destruction de l'ennemi.

Des attentats-suicides sont alors imposés à certains enfants comme voie royale vers la justice et le paradis. Malgré les efforts de certains pédiatres palestiniens, de nombreux enfants sont en effet endoctrinés et disent vouloir le suicide comme destin.

Enfin, la Mort de Mohamed Al-Dura se constitue en empreinte indélébile et en message subliminal du conflit israélo-palestinien. Il y aura désormais les victimes d'un côté, les bourreaux de l'autre,

Même lorsque les Israéliens apparaîtront comme victimes, notamment à la suite des attentats-suicides, la grille d'interprétation télévisuelle ainsi établie fera qu'ils seront considérés comme des bourreaux qui n'auront qu'à s'en prendre à eux-mêmes d'être devenus les victimes de leurs propres victimes [1].

---

1. Telle est la signification du rapprochement qui a souvent été fait (cf : un reportage de la BBC Two : « le jour où la paix est morte ») entre la mort de Mohamed Al Dura et le lynchage à mort, le 12 octobre 2000, à Ramallah, de deux soldats israéliens. Il illustre le soi-disant cycle du « œil pour œil, dent pour dent » dont les bourreaux (les Israéliens) seraient les initiateurs. (voir plus loin).

Quant au plan de l'image, l'effet recherché est le suivant : il s'agit de convaincre l'opinion publique que, parce qu'il n'y a pas eu censure dans la retransmission de l'horrible mise à mort de ces deux soldats, il n'y en a pas eu non plus dans celle du petit Mohamed. En fait, la télévision palestinienne s'arroge désormais le droit de diffuser des images épouvantables qui, dans le cas de l'enfant, ne portent pas sur un fait réel, ainsi que notre contre-expertise le montre plus loin, et qui, dans le cas de soldats, portent sur un massacre réel.

Un article d'Amnon Lord [1]

Au risque d'en rajouter, Amnon Lord, un journaliste israélien très respecté, rappelle que Nahum Shahaf a visionné un nombre considérable de vidéos provenant de nombreuses télévisions au cours de l'enquête qu'il a menée auprès de Doriel. Mais Lord nous apprend aussi que Shahaf a questionné nombre d'acteurs, dont Talal Abu Rahmé.

On se souvient que Charles Enderlin fait savoir dans son commentaire qu'un ambulancier a tenté de venir auprès de l'enfant blessé à mort, mais qu'il a lui aussi été tué. Or, nul n'a jamais vu d'images en rapport avec cet événement. C'est d'autant plus incroyable que près de dix cameramen filment sur place, et que Talal Abu Rahmé est seul à filmer la mort de l'enfant en direct. D'où cette étrange passe d'armes entre Shahaf et Abu Rahmé :

– Shahaf : « Pourquoi n'avez-vous pas filmé le conducteur de l'ambulance ? »

– Abu Rahmé : « Parce qu'il était mort avant d'avoir pu arriver sur place ».

– Shahaf : « D'où le savez-vous ? »

– Abu Rahmé : « Du fait qu'il n'est pas arrivé ».

---

1. In *Who killed muhammad al-dura ? blood libel – model 2000,* in *Jerusalem letter*/viewpoints – *no. 482, 6 av 5762/15 july 2002.*

– Shahaf : « Où a-t-il été tué ? »

Abu-Rahmé : « Je ne sais pas. Je n'ai rien vu. Je ne sais pas. »

Autre point fort de l'entretien de Abu Rahmé qui se tenait à 30 mètres du père et de son fils quand celui-ci a été tué : le cameraman affirme : « Je ne pense pas que les Palestiniens disent qu'Israël a tué l'enfant ». Shahaf, alors, de lui rétorquer : « Mais vous avez dit que vous étiez sûr que ce sont les Forces Israéliennes de Défense/ IDF qui ont tué l'enfant ! », à quoi Abu Rahmé réplique : « Je n'ai pas dit que les soldats de l'IDF l'avaient tué. J'ai dit que les balles provenaient de la direction... et ont pris Mohamed Al-Dura et Jamal pour cibles ».

Ce qui, pour Shahaf, signifie que lui, et Enderlin qui a dit la même chose, ne savent rien de la provenance réelle du feu mortel.

Puis Amnon Lord rappelle que, pendant cette journée de combat, il y eut de longues périodes pendant lesquelles les Palestiniens commençaient à tirer à balles réelles sur la position de l'IDF, à quoi les Israéliens répliquaient par balles, mais en aucun cas comme des « gens fous » (« crazy people », dit Abu Rahmé).

Il révèle aussi que les rushes que possède Shahaf montrent clairement ce qui se passe autour de la position d'IDF et confirment ce que disent les témoignages de soldats, à savoir qu'ils ne furent même pas au courant qu'un enfant palestinien était mort à cet endroit et qu'ils ne l'apprirent que 24 heures plus tard.

Quant à ce qu'il était possible de voir, Shahaf prétend qu'on peut diviser le matériel en trois épisodes ou scènes différents :

1. Les enfants, parfois petits, qui se rassemblent à quelques mètres de la position de l'IDF.
2. Des événements à large échelle qui apparaissent violents, mais qui ne se déroulent pas à proximité des forces d'IDF,
3. Des événements qui se déroulent à quelque 120 mètres du fortin israélien.

Dans son article, Amnon Lord en vient aux scènes qui se déroulent en rapport avec la position israélienne. Les rushes montrent des enfants derrière un monticule de sable près du mur du fortin. Ils jettent des pierres et des bouteilles sur le fortin, à tel point qu'une partie du toit commence à s'effondrer. Des petits feux résultent aussi des jets de bombes incendiaires. Mais, les Israéliens ne répondent pas, bien que certains soient brûlés par des bombes. Il n'y a pas de tirs israéliens.

Soudain, un des jeunes gens présents semble touché à quelques mètres de l'IDF, mais derrière lui, la vie continue comme si de rien était. Des gens sont debout et marchent tranquillement, se parlent et sourient. Plus loin, des gens prennent du plaisir à regarder ce qu'ils voient.

Le jeune blessé lève sa main et commence à courir vers l'arrière. Personne n'est sous l'emprise d'un instinct d'autodéfense ni ne songe à se tapir. Au moins cinq cameramen se déplacent sans crainte. Une ambulance des Nations Unies arrive à temps de manière surprenante et la personne blessée est portée à l'intérieur.

Lors d'un autre incident enregistré, un jeune homme court, la tête en sang, une bouteille de soda à la main. Aurait-il souffert d'un tir qu'il eût été allongé sur le sol et qu'il eût fallu s'occuper de lui. Et même, au lieu de courir à travers le verger, il court vers le centre du carrefour où ses amis, caméra au poing, et la même ambulance que tout à l'heure, l'attendent.

Puis, l'ambulance ayant tourné autour du triangle qui se trouve au centre du carrefour, le jeune blessé est transféré de l'ambulance des Nations Unies vers celle du croissant Rouge.

Derrière cette scène, à un endroit supposé être couvert par le feu d'IDF, on voit le public : 200 hommes, adolescents et enfants, en deux ou trois rangées, en face des gens assis, des adolescents aussi, à vélo.

Dans les vidéos, on peut voir aussi, loin de la position de l'IDF, derrière une fabrique, que tout est mis en scène et joué. Comme auparavant, mais sans que IDF soit présent, on voit des gens qui se protègent, tandis que d'autres, au même moment, hommes et enfants, marchent librement, tout en souriant, comme d'ailleurs de nombreux photographes (dont tous sont palestiniens), écrit Lord.

« Comme à Hollywood », dit Shahaf.

Sur la bande, poursuit Shahaf, on peut voir des groupes de terroristes armés dont beaucoup sont en uniforme, auxquels se mêlent des adolescents. Des tirs partent qui pourraient blesser les jeunes. Certains, qui portent des fusils, sont bien habillés. Ailleurs, un adolescent semble se mettre à couvert, allongé sur le dos, tout en téléphonant. Mais que fait l'homme qui est près de lui ? Pourquoi n'a-t-il pas peur d'être blessé ?

Et ce qui est surtout très important, c'est que Shahaf a eu accès à des images qui ont été prises à partir d'angles différents. On voit notamment un cameraman à genoux, tout près de l'enfant et du père, qui est forcément différent de celui qui a filmé la scène du reportage de France 2.

On voit aussi des jeunes en train de s'enfuir tandis que les Al Dura ne se joignent pas à eux et restent derrière la barrique de ciment. Ou ils se sentent en sécurité parce qu'ils ne peuvent être atteints, ou bien ils restent ici en vue de quelque chose d'autre.

Finalement, les images montrent que l'enfant a changé de position et qu'il a bougé sa main et sa jambe.

Il est donc clair que les cameramen faisaient partie de l'événement, et que leur matériel journalistique avait été édité de telle manière que la seule chose qui manquait était un commentaire anti-israélien.

L'article se termine sur le constat que le porte-parole et Général de Brigade Ron Kitri affirme que IDF n'a pas revendiqué de responsabilité dans la mort de l'enfant, mais seulement pour le tir de feu nourri. Kitri reconnaît également qu'un enfant a été tué à cet endroit et que le Général Yom-Tov Samia, Commandant en chef, a donné l'ordre d'ouvrir une enquête. Mais il n'y eut aucune coopération palestinienne pendant l'investigation, ni autopsie.

L'enquête d'IDF à laquelle Nahum Shahaf a participé a été complétée en janvier 2001 et a conclu que les causes de la mort de l'enfant sont inconnues. Elle conclut aussi sur le fait qu'il n'existe pas de film montrant qui a tué l'enfant. Quant au témoignage du père selon lequel l'enfant a été tué dans le dos, il n'est pas compatible avec l'accusation portée contre les soldats israéliens.

Cependant l'enquête de la télévision allemande, fondée sur les conclusions de Shahaf, prouve que Mohamed Al Dura n'a pas été tué par les Israéliens, mais qu'en accord avec des journalistes étrangers et ceux des Nations Unies, les Palestiniens ont monté une mise en scène de sa mort.

Une interview de Nahum Shahaf par La Ména

Je décide alors de mettre Juffa en relation avec Shahaf. Leurs multiples entretiens et visionnages en commun des rushes déboucheront, début septembre 2002, sur un entretien dont est extraite la dépêche suivante [1] » :

« La Ména : Nahum Shahaf, vous aviez été choisi pour diriger la commission d'enquête israélienne sur les circonstances de l'affaire A-Dura. Etes-vous un militaire de carrière ?

Shahaf : En aucun cas. Je suis un scientifique, un physicien, spécialiste des questions balistiques et des technologies de prises de vues. C'est à ces titres que j'ai été choisi [2].

La Ména : Combien de membres a compté votre commission d'enquête ?

Shahaf : En plus de moi-même, il y avait un autre spécialiste civil, ainsi que deux officiers de l'armée israélienne. De plus, nous avons fait appel

---

1. « *L'Affaire Mohamad A-Dura, une immense imposture ?* © Metula News Agency, *info # 011709/2.* Entretien en hébreu traduit pour La Ména par Stéphane Juffa.

2. Il s'agit de Doriel que Shahaf ne nomme pas.

à l'expertise de quelques dizaines de scientifiques, spécialisés dans les divers aspects de l'enquête.

La Ména : A la Mena, d'après ce que nous savions jusqu'à cette entrevue, nous avions établi que Charles Enderlin ne disposait pas des éléments objectifs qui lui auraient décemment permis d'affirmer au journal télévisé de France 2 que c'étaient les soldats israéliens qui avaient tué le petit Mohamad A-Dura. D'après les informations dont nous disposions, et les recoupements que nous avions effectués, il semblait plus vraisemblable que c'étaient des tireurs palestiniens qui avaient abattu l'enfant.

Vous n'êtes pas sans savoir, M. Shahaf, que le reportage d'Enderlin a fait, depuis, le tour du monde, et qu'il est devenu le symbole de l'agressivité des soldats israéliens et de leur propension à tuer les civils et les enfants palestiniens. Plus encore que tout cela, les images de l'affaire A-Dura sont devenues le symbole principal de l'Intifada Al-Aksa.

Dès lors, la vérité dans cette affaire est au centre de toutes les polémiques et tout le monde veut savoir qui a tué l'enfant palestinien ?

Shahaf : Je n'entends rien aux questions de polémique. La polémique est la pire ennemie du travail des commissions d'enquêtes. L'information et la communication restent du domaine des journalistes, c'est le vôtre, pas le mien.

Pour aller droit au but de ce qui vous intéresse, et après avoir questionné durant des centaines heures la plupart des protagonistes de l'événement, les cameramen, de nombreux médecins, palestiniens et israéliens, après avoir méticuleusement reconstitué les événements et analysé les angles de tir, après avoir recueilli des heures de documents filmés, écrits et sonores, je peux vous assurer et prouver sans difficulté que les soldats israéliens du carrefour de Netzarim n'ont pas tué Mohamad A-Dura. De la position qu'ils occupaient, non seulement ils ne pouvaient pas distinguer Jamal A-Dura et l'enfant qui se trouvait dans son dos, mais, de plus, il n'existe pas de trajectoire de tir possible entre la position des soldats et celle où se trouvaient Jamal et l'enfant.

La Ména : Le père et son fils auraient-ils, alors, été atteints par des balles palestiniennes ?

Shah : Disons plus précisément que les seuls à avoir tiré en direction de Jamal A-Dura et de l'enfant sont effectivement des tireurs palestiniens mais ils ont tiré juste à côté de leurs têtes afin de donner l'impression qu'un combat se déroulait.

La Ména : Les images de FR2 montrent pourtant que l'enfant a été tué et le père grièvement blessé. Jamal A-Dura a d'ailleurs été opéré dans un hôpital de Aman des suites de ses blessures.

Shah : C'est inexact. Jamal A-Dura a bien été soigné dans un hôpital jordanien mais pour une blessure antérieure, une blessure à la main, datant de l'Intifada précédente. Il me l'a dit lui-même et je l'ai enregistré. Jamal n'a pas été blessé à Netzarim, j'en détiens les preuves indiscutables.

La Ména : Et son fils, Mohamad ?

Shahaf : Le jeune homme qui apparaît dans le reportage d'Enderlin et sur le timbre tunisien que vous me présentez n'est pas Mohamad (fils de Jamal NDLR) A-Dura. Il n'a pas 12 ans comme Mohamad mais un peu plus de 14 ans.

La Ména : Et les taches de sang qu'on distingue sur le reportage de FR2, elles ne sont pas vraies non plus ?

Shahaf : Je tiens à votre disposition un document filmé sur lequel on voit très clairement que l'impact d'une balle qui aurait atteint le jeune homme en plein ventre est en fait un morceau d'étoffe rouge, sensé figurer du sang, et qui tombe de la chemise du jeune homme pendant la prise de vue.

Vous comprenez maintenant pourquoi l'Autorité Palestinienne s'est opposée à l'autopsie du corps et pourquoi les cameramen qui se trouvaient sur place n'ont pas pu filmer d'ambulance qui serait venue évacuer les blessés.

La Ména : L'Autorité Palestinienne a pourtant affirmé que le conducteur d'une ambulance aurait été abattu par les snipers israéliens en essayant d'évacuer Mohamad et son père. Cet épisode de l'affaire avait également fait grand bruit, accentuant l'image de méchanceté des soldats israéliens, qui *tirent sur les enfants et* sur ceux qui viennent les secourir !

Shahaf : Pourtant, il n'a jamais été diffusé d'images de cette ambulance, pas plus que de son conducteur ! Lorsque j'ai interrogé le cameraman de FR2, Talal Abou Rahma, il m'a *expliqué* les choses par le fait que le chauffeur de l'ambulance mystérieuse aurait été tué bien avant d'arriver sur place. J'ai enregistré son témoignage, bien entendu –. C'est pour cela qu'il n'y a pas d'ambulance dans l'imposture A-Dura. Comment un ambulancier aurait-il pu être abattu au carrefour de Netzarim s'il ne s'est pas rendu à ce carrefour ? Ça tiendrait de la magie, n'est-ce pas ?

La Ména : Pas de Mohamad A-Dura, pas de blessés, pas d'ambulancier, je crains d'avoir des difficultés à vous suivre ?

Shahaf : Il n'y a pas d'affaire A-Dura, il s'agit d'une imposture, lamentablement reprise par des journalistes occidentaux, et exploitée jusqu'à la corde par les médias arabes et par tout ce qu'ils comptent de partisans.

La Ména : Toute l'affaire A-Dura serait une mise en scène ?

Shahaf : Je comprends votre étonnement, mais il s'agit d'une technique très courante dans le camp palestinien. N'avez-vous pas vu ce film de l'enterrement de Jénine, durant lequel le mort tombe de sa civière et y remonte par ses propres moyens ?

Jamal A-Dura est un acteur bénévole de la propagande palestinienne à la même enseigne que le ressuscité de Jénine. Durant la journée de *l'affaire*, le jour qui l'a précédée et ceux qui lui ont succédé, des metteurs en scène, des cameramen et des acteurs volontaires ont tourné plusieurs de ces scénettes (sic !) dans la zone de Netzarim. Nous avons retrouvé ces films et on y voit le tournage de petits scénarios d'horreur. Souvent, le metteur en scène s'irrite à l'encontre des acteurs qui tiennent mal leur rôle. Les *blessés* se relèvent et se remettent en place pour une nouvelle prise, alors que les Palestiniens qui assistent au tournage rient et applaudissent. Je tiens, bien entendu, ces nombreux rushes à la disposition de la Ména.

Sur l'un de ces rushes, on distingue d'ailleurs parfaitement que le cameraman de FR2 Talal Abu Rahma participe activement au tournage de l'une de ces scénettes (sic !).

La Ména : L'épisode A-Dura, c'est un de ces scénarios morbides ?

Shahaf : Absolument, dans la prise où on voit soi-disant le père grièvement blessé et l'enfant mort, on distingue précisément le scripte qui, devant la caméra, montre avec ses doigts qu'il s'agit de la deuxième prise !

La Ména : N'est-il pas exact que l'armée israélienne a fait nettoyer tous les obstacles situés autour du carrefour de Netzarim tout de suite après la diffusion du reportage d'Enderlin ? N'entendaient-ils pas ainsi faire disparaître les traces de leur exaction ?

Shahaf : Il est exact que l'armée a nettoyé le carrefour mais ce fut neuf jours après l'affaire ! La raison de cette décision concerne uniquement des problèmes de sécurité. Après l'affaire A-Dura, les Palestiniens avaient ouvert le feu sans discontinuer, pendant plusieurs jours, et sans aucune provocation israélienne, sur la position de Tsahal à Netzarim et sur tous ceux qui s'approchaient du carrefour. Les tirs nourris et les cocktails Molotov provenaient de quatre emplacements distincts, que l'armée entendait raser, car, durant tous ces jours, ils empêchaient l'approvisionnement des implantations et de l'armée par voie terrestre. L'armée était alors contrainte de les approvisionner par hélicoptère.

Mais cela ne change rien à la vérité, nous avons disposé du temps suffisant afin de recueillir toutes les évidences filmées et tous les témoignages, qui établissent, à suffisance de preuves, ce qui s'est réellement passé ce jour-là à Netzarim.

Jusqu'au cameraman de la scénette (sic !), Talal Abou Rahma, le cameraman du reportage de FR2, qui déclare sur un document que j'ai enregistré qu'il n'a jamais affirmé, pas plus que d'autres Palestiniens, que c'étaient les Israéliens qui ont tué Mohamad A-Dura !

Même Charles Enderlin m'a confié, lors d'un entretien téléphonique, qu'il n'avait jamais prétendu non plus que c'étaient les Israéliens qui avaient tué Mohamad A-Dura. Il était enregistré, mais il ne le savait pas.

Il est bien évident que ces déclarations des deux hommes de FR2 sont en contradiction grossière avec ce qui est dit dans le reportage et ce qu'ils continuent de prétendre en public. En ce qui concerne Talal Abu Rhama, il a même reçu de nombreuses récompenses professionnelles pour sa couverture de l'affaire A-Dura. Pour l'une des plus grandes impostures de l'histoire de l'audiovisuel, à laquelle, de plus, il a activement participé ! La naïveté à répétition de certains médias occidentaux est à peine concevable.

La Ména : Charles Enderlin prétend que Tsahal (l'armée israélienne) aurait refusé de se laisser interviewer sur cette affaire. Disait-il cette fois la vérité ?

Shahaf : Non seulement je lui ai proposé de participer aux efforts de la commission d'enquête mais encore, lorsque Enderlin m'a proposé d'y associer un représentant palestinien, j'ai accepté sa proposition avec empressement.

Par la suite, j'ai *couru* après M. Enderlin, qui n'a eu de cesse que de s'esquiver. Il ne répondait pas à mes appels ni à mes messages, pas plus qu'à aucun de mes fax. Ses prétextes allaient du manque de temps jusqu'à des arguties de type administratif pour le moins surprenantes.

La Ména : Lesquels par exemple ?

Shahaf : Il m'a demandé de lui faire mes propositions par fax ; lorsqu'il l'a reçu, il s'est plaint que le fax n'était pas signé. Je l'ai donc signé et renvoyé. Là, ça n'allait pas parce que le fax était en hébreu (Charles Enderlin est israélien et comprend l'hébreu NDLR.) et qu'il le voulait en anglais. Et entre chaque épisode de cette *complication épistolaire* s'écoulait un temps précieux, durant lequel le journaliste ne répondait pas à mes appels.

Enderlin a essayé de « me rouler dans la farine », cela me semble évident, mais pas lui seulement ! Dans un document signé sous serment devant un avocat de Gaza, le 3 octobre 2000 (le document est en ma possession), le cameraman Talal Abu Rahma déclare : « J'ai filmé l'événement durant 27 minutes (?) ». Interviewé dans le reportage d'Esther Shapira, Charles Enderlin prétend pour sa part qu'il n'existe qu'environ six minutes de ces rushes. A moi, il a garanti, sous enregistrement, que les 2 minutes 30 qu'il avait fournies à l'armée représentaient l'intégralité du film. Cherchez l'erreur !

La Ména : Se pourrait-il qu'Enderlin ignore les faits tels que vous nous les présentez dans cette interview ?

Shahaf : J'en doute. J'en veux pour exemple que lorsque Charles Enderlin a remis les rushes à l'armée israélienne, il avait pris soin de préciser qu'ils étaient intacts, entiers et non préparés. En fait, le porte-parole de l'armée n'a reçu de sa part que deux minutes trente de bouts de films, et contrairement aux affirmations du correspondant de FR2, ces rushes avaient été volontairement endommagés et visiblement coupés et arrangés !

La Ména : Si ce que vous déclarez est exact, on serait en présence d'une imposture audiovisuelle de l'ampleur de celle de Timisoara en Roumanie, qui avait servi de prétexte à la révolution et à la mise à mort du couple Ceausescu. Etes-vous disposé, M. Shahaf, à participer à un débat télévisé sur une chaîne occidentale, en présence d'experts contradicteurs ?

Shahaf : Bien entendu, dans l'optique de la recherche nécessaire de la vérité, à la suite d'une telle affaire, en présence de thèses si contradictoires, je crois même qu'une confrontation publique d'experts s'impose.

La Ména : Même en présence de Charles Enderlin ?

Shahaf : Sans aucun doute, je dirais même, qu'au vu des circonstances, sa présence serait essentielle, vous ne trouvez pas ? »

Et La Ména de citer les prix qui ont honoré le cameraman Talal Abu Rahmé :

« Outre le Prix Rory Peck financé par Sony pour son *reportage* diffusé par France 2 sur la mort du petit Mohamad A-Dura, il a reçu les Prix suivants : 2000 :

Festival Scoop Prize, Angers, France

Qurtaj Cenima Festival, Tunisia

Palestine Prize for Arts, Literature and Human Sciences

Qatar Honoring Prize, Doha, Qatar

Alexandria Honoring Prize, Alexandria, Egypt

Research Fund for the Study of Future of North-South Cultural Communication in Rabat, Morocco

Iran Prize for the Palestinian Intifada

Medal of Bravery, Palestinian Journalists' Association, Jerusalem 2001Arab Journalism Prize (Best News Scoop), Dubai

Journalist of the Year, ADC, Washington DC

Jordanian Syndicates' Complex Prize, Amman; Radio & TV Festival Prize, Cairo ».

La dépêche se termine ainsi : « Documents annexes à l'article : 1) le fax de Shahaf à Enderlin 2) Talal Abou Rahma 3) Jamal A-Dura et l'enfant »

J'avoue que, comme beaucoup de lecteurs, j'ai le souffle coupé lorsque je prends connaissance de ces informations. Je vois bien que Shahaf confirme celles qu'Amnon Lord avait recueillies, et que celles-ci répondent aux nombreuses questions que je me pose, c'est du moins ce que j'ai compris, lors de mon entretien téléphonique avec lui. Mais je ne peux accepter un seul instant que l'énigme que nous tentons de résoudre soit une « imposture ».

« Imposture » : le mot est extrêmement fort, car précis. Au sens vieilli, il s'agit « d'une action, du fait d'en imposer, de tromper par des discours mensongers, de fausses apparences [1] ». Vauvenargues, cité par *Le Grand Robert*, écrit que c'est « le masque de la vérité »; la fausseté est une imposture naturelle, la dissimulation, une imposture réfléchie; la fourberie, une imposture qui veut nuire; la duplicité, une imposture à deux fins ».

C'est aussi une calomnie ou une hypocrisie. On l'emploie souvent au sens de « ce qui a été commis par un imposteur », c'est-à-dire par quelqu'un qui cherche à tromper, à abuser de la confiance et de la crédulité d'autrui, par des discours mensongers et des promesses fallacieuses, pour son profit.

1. In *Le Grand Robert de La langue Française, op. cit.*, tome 3, p. 2160. 2.

Je décide encore de récuser le mot « imposture »[1]. Il est hors de question de me laisser convaincre par ces entretiens. C'est pour moi la condition *sine qua non* de la poursuite de mon

---

1. Bien que mon attention fût, au même moment, attirée par une autre dépêche publiée par La Ména, *Les morts-vivants ou toute la méthode palestinienne.* Mon collègue, Jean Tzaddik, y écrivait à propos d'un reportage diffusé sur toutes les chaînes de télévision : « La scène est étonnante. Inhabituelle lors d'un enterrement. Un mort qui tombe d'une civière, ça arrive malheureusement, mais un mort qui se relève et qui arrange lui-même son linceul, c'est décidément une « autre » exclusivité palestinienne.

Comprenne qui voudra, pendant que les autres, ceux qui mettraient en doute l'existence de l'Himalaya si c'était un alpiniste israélien qui en avait parlé, continueront à mettre en doute – contre toutes les évidences – le témoignage honnête des Israéliens. Parce que, en termes d'information, l'affaire du mort sautillant survient, il vaut mieux le rappeler, après les affirmations officielles de l'Autorité palestinienne selon lesquelles Israël empoisonne ses puits, utilise contre elle des munitions nucléaires, des gaz de combat, des strip-teaseuses, tue ses propres ministres, organise des attentats palestiniens, détruit des gratte-ciel en Amérique et organise des fausses affaires de paquebots de contrebande « dans le seul dessein de détruire toutes les initiatives de paix », comme l'a affirmé M.Arafat, repris en canon par la chorale des dignitaires palestiniens, par Leïla Chahid, par *Le Monde, l'Obs* et par *Libération* ».

Je rappelle que l'entretien de Nahum Shahaf fit grand bruit dans la communauté juive de France, d'autant qu'il rejoignait certaines interrogations ou accusations qui avaient été formulées auparavant, au point que des organisations décidèrent d'organiser la remise d'un « Prix de la Désinformation » à France 2. La Ména refusa de prendre part à ce type de manifestation, au prétexte que l'information était loin d'être établie.

enquête. Celle-ci porte sur des faits, des images, des interprétations et, nous l'avons vu, sur des légendes, et en aucun cas sur des personnes, des intentions, des stratégies. Mais je m'apprête aussi à approfondir le chemin parcouru par Shahaf, qui l'a conduit d'une contestation de la version officielle de la mort de Mohamed al Dura à la formulation d'une accusation d'imposture.

Une prise de position de France 2

C'est alors que France 2 prend l'initiative de donner sa position sur le débat. Successivement, Talal Abu Rahmé, Charles Enderlin puis Olivier Mazerolle s'expriment sur le sujet.

Talal Abu Rhamé

Le 30 septembre 2002, le cameraman de France 2 adresse un fax à la rédaction [1] dans lequel il écrit : « Je n'ai jamais dit à Palestinian Human Rights Organisation de Gaza que les sol-

1. « To France 2 Jerusalem, from Talal Abu Rahma, Gaza : « I never said to the Palestinian Human Rights Organisation in Gaza that the israeli soldiers killed wilfully or knowingly mohamed al Dura, and wounded his father. All I always said in all the interviews I gave is that from where I was, I saw the shooting coming from the Israeli position ». Signé : Talal Abu Rahma. Communication privée.

dats israéliens avaient tué intentionnellement ou de sang-froid Mohamed al Dura, et blessé son père. Tout ce que j'ai dit dans toutes les interviews que j'ai données est que d'où j'étais, je voyais le tir qui venait de la position israélienne ».

Il met donc en question la légitimité du témoignage qu'il a signé sous serment (et la fiabilité des nombreux journalistes auxquels il a donné des interviews), comme nous l'avons vu dans le premier chapitre. Que s'est-il passé pour qu'un témoignage d'une aussi grande importance (comme tous les témoignages d'ailleurs) ait été perverti à sa source ?

Comment se fait-il que France 2 qui a sûrement comparé les deux témoignages, n'envisage à aucun moment de revenir publiquement sur l'information ?

Pense-t-elle que l'information est une icône ? Pense-t-elle que percevoir et déduire soient une seule et même chose ? Pense-t-elle que toute déduction intellectuelle soit nécessairement une perception personnelle ?

Dispose-t-elle de critères incontestables attestant que l'on puisse à juste titre se satisfaire d'une déduction pour établir une affirmation ?

Bref, la rédaction de France 2 a-t-elle la même logique de raisonnement que, selon Talal Abu Rahmé, la Palestinian Human Rights Organisation ?

Charles Enderlin

Le 1er octobre 2002, Elisabeth Schemla, directrice de Proche-Orient info, publie un « *Entretien exclusif avec Charles Enderlin, deux ans après la mort en direct de Mohamed Al Dura à Gaza* ».

Le chapeau est le suivant : « Ce 2 octobre, à 19H30, une manifestation aura lieu devant France 2 à Paris pour protester contre la chaîne et attribuer à Charles Enderlin le « Prix de la désinformation ». Correspondant à Jérusalem depuis vingt ans, Enderlin porte la très lourde responsabilité de la couverture du conflit israélo-palestinien pour la chaîne publique française. Couverture très contestée par beaucoup de Juifs francophones – car France 2 est regardée partout dans le monde, y compris en Israël. Ils lui reprochent un parti pris délibéré pro-palestinien, et surtout d'avoir attribué aux soldats israéliens la mort du petit Mohamed Al-Dura, au début de l'Intifada, images qui ont fait le tour de la planète et assis la « vérité » de cette guerre. Pour la première fois, Enderlin s'exprime sur cette affaire ».

Or, après avoir dénoncé ceux qui « veulent changer la couverture journalistique du conflit », Schemla lui reproche quand même deux choses : « Pour moi, dit-elle, votre reportage dans le 20 heures de France 2, le soir de l'événement, comportait deux points contestables mais qui n'ont rien à voir avec tout ce que l'on entend depuis. Le premier : il eut été plus prudent de dire en commentaire à chaud que, dans ces tirs croisés, il était impossible d'attribuer à l'une des deux parties la responsabilité de la mort de ce gamin. Le second : devant l'importance dramatique de ces images, il eût mieux valu passer la totalité de la bande, ce qui aurait permis au public de constater – dès le deuxième jour de cette Intifada ! – que les enfants et les jeunes Palestiniens étaient en fait bel et bien encadrés par les policiers palestiniens armés, et tirant. J'ajoute enfin, pour une clarté totale, que j'ai écrit moi-même : « L'intégralité de la bande vidéo prise par le correspondant de France 2 à Gaza, Talal Abu Rahmé, désormais star du nationalisme palestinien, ne laisse guère de doute : il est peu probable que dans la fusillade, et compte tenu des angles de tir, Mohamed Al-Dura ait été abattu par des balles palestiniennes. »

Charles Enderlin a de bonnes raisons de ne pas démentir ce qui vient de lui être dit à propos de la mort de l'enfant. En effet, il connaît l'écart existant entre les deux témoignages de Talal Abu Rahmé. Il est conscient qu'une supposition n'est pas une preuve. Mais, plutôt que d'aller plus loin et de reconnaître son erreur, il préfère ne rien dire qui vienne contredire la journaliste. Peut-être espère-t-il que son silence lui fera faire l'économie d'un retour officiel sur l'information ? Peut-être craint-il qu'une fois la rétention d'information révélée, il ait à s'expliquer sur la confusion intellectuelle qui consiste à prendre une déduction pour une preuve ? Peut-être, se rend-il compte aussi que, connaissant, depuis au moins le 3 octobre 2000, la manipulation du témoignage du cameraman par l'organisation palestinienne des droits de l'homme, il va devoir expliquer en quoi cette rétention d'information n'est pas une caution de ladite manipulation ? La question de la rétention des informations est donc au cœur du débat.

Mais, lorsqu'elle est explicitée, c'est sur un autre sujet. Enderlin est en effet contraint de répondre à une autre question que lui pose la journaliste : « Aujourd'hui, on vous reproche ainsi qu'à France 2, de ne pas avoir coopéré lors de l'enquête menée par l'armée israélienne et d'avoir refusé de montrer les rushes. Qu'avez-vous à répondre ? »

Et il lui vient cette justification : « Il existe un principe de protection des sources d'un journaliste qui est appliqué par toutes les grandes chaînes européennes, y compris l'ARD ». Il est alors très précis : les 50 secondes d'images qui font le reportage de France 2 ont été offertes gratuitement à toutes les chaînes de télévision, mais le matériel brut (les rushes ») ont été conservés sur décision du service juridique de France 2.

Pourtant, le trouble lié à son commentaire initial refait surface, et, comme s'il voulait en justifier l'erreur, il laisse entendre qu'il aurait pu le formuler de manière différente, s'il avait eu une réaction officielle de l'armée israélienne qu'il avait sollicitée juste avant le journal.

Puis, il parle de l'enquête israélienne, sans nommer Yosseph Doriel, pour venir assez rapidement à une lettre que lui a envoyée « un certain Nahum Shahaf », le 19 octobre 2000, « qui nous demandait les originaux du tournage de Gaza ». Il s'ensuit une entreprise de délégitimation assez subtile de Shahaf. Enderlin le prend d'abord pour un professionnel du cinéma. « Ce n'est qu'un peu plus tard que j'ai appris qu'il participait à une enquête commanditée par le général Yom Tov Samia, qui commandait à l'époque la région militaire sud », affirme-t-il, tout en ajoutant, plus loin, qu'il n'a jamais eu la preuve écrite qu'il avait été mandaté par l'armée israélienne.

Mais, il dit surtout que Shahaf n'est pas un expert crédible. La preuve en serait qu'il aurait prétendu pouvoir prouver que Ygal Amir n'avait pas tué le premier ministre !

Or chacun sait, aujourd'hui, s'il s'informe, qu'un vaste débat est ouvert en Israël sur les circonstances de l'assassinat de Rabin. Et il se trouve que même Dalhia Rabin, fille de feu le Premier ministre, a demandé à Shahaf son aide pour résoudre les aspects énigmatiques de ce meurtre *concernant l'éventuelle présence de complices d'Amir sur place.* Quant à Shahaf lui-même, il rappelle à qui veut l'entendre que, s'il n'a jamais contesté que Ygal Amir ait tué Itzhrak Rabin, sa contre-expertise ne lui a en revanche pas encore permis d'attester que le même Amir ait eu ou non des complices. Il s'agit d'une déformation des propos de Shahaf pour déconsidérer son travail.

Je me rends compte alors qu'au lieu de répondre concrètement aux questions de Shahaf, Enderlin se tait, puis « botte en touche » et de fâcheuse manière. Sa réponse-écran ne peut que m'inciter à prendre au sérieux son refus de répondre aux questions posées.

Puis Enderlin aborde les rapports entre le service juridique de France 2 et celui de l'armée israélienne, jusqu'à ce que l'entretien revienne au reportage de France 2 sur la mort de l'enfant.

Mais cette fois-ci, il ne s'agit pas tant de l'événement lui-même que des conditions médiatiques de son tournage.

Charles Enderlin raconte : « Au carrefour de Netzarim, le clash classique : des manifestants qui jettent des pierres sur la position israélienne, l'armée qui utilise les gaz lacrymogènes, le croisement est encore ouvert, et au milieu de tout ça, Abu Rahme fait des interviews de manifestants, un entretien en pleine rue avec Hakim Abdel

Awad, chef de la Shabiba, les Jeunesses du Fatah à Gaza, qui explique en anglais que tout ça va durer deux, trois jours, qu'il s'agit de montrer aux Israéliens l'importance pour les Palestiniens du Haram Al Sharif, le Mont du Temple. Et soudain, on entend et on constate que des échanges de tirs ont lieu, très violents, car subitement les Palestiniens ont ouvert le feu [ndlr : d'un poste de police palestinien, situé dans l'alignement du mur, entre les Al-Dura et la position israélienne, donc tirant dans l'autre sens que le père et son fils. Ce poste était placé sous l'autorité du brigadier général Osama Al-Ali, président du Comité régional de sécurité, membre du Fatah et du Conseil National Palestinien].

Les manifestants prennent la fuite, le père et Mohamed se cachent derrière le tonneau, Talal est presque au milieu du croisement, il réussit à s'abriter derrière une camionnette. Lui-même et tous ces événements sont filmés également en direct par Associated Press et Reuters, sous un autre angle, car les deux autres équipes de cameramen se mettent à l'abri, elles, des deux côtés du fameux mur. D'ailleurs, sur les images tournées par Reuters, on voit un des caméramen et un photographe qui filment et prennent des clichés, juste derrière le gosse, et prennent ensuite la fuite quand les tirs sont trop violents. La suite, Abu Rahme se trouvant exactement en face des

Al-Dura, de l'autre côté de la rue, à l'abri de la camionnette, on la connaît ».

Si Schemla avait fait la même enquête que celle que j'ai entreprise, elle n'aurait pu se satisfaire de ce « on la connaît ». Ceci dit, on comprend son étonnement devant le fait que les journalistes des autres agences n'ont pas fait état de leurs images. A quoi Enderlin rétorque qu'il n'en est rien, comme le prouve la diffusion de ces sujets sur France 2, les 27 et 28 novembre 2000, à l'occasion de la conférence de presse de Samia.

En fait, on ne sait pas si Enderlin est en train de confirmer que d'autres cameramen ont filmé les événements *avant* la scène de la mort de l'enfant ou cette scène même. On pourrait cependant comprendre que, comme le reporter de Reuters s'est enfui, il n'a probablement pas filmé cette scène. Mais Enderlin préfère laisser ce champ de réponses dans l'imprécision, et pour cause, puisqu'il y va de la nature même du scoop.

Si Reuters et Associated Press ont aussi filmé la scène de la mort de l'enfant, il n'y a pas eu prise de scoop, mais décision de diffuser les images avant les autres chaînes ; et s'il y a eu plusieurs reportages sur la mort de l'enfant, les différents prix reçus par le cameraman lui ont été adressés après comparaison de son reportage avec les autres. Or, à ma connaissance, il n'a jamais été fait nulle part mention de ces autres reportages.

Puis Enderlin souligne le caractère énigmatique d'une autre question (que nous avons étudiée plus haut) : pourquoi le père et le fils restent-ils derrière le tonneau? « Ma réponse, dit-il, c'est qu'ils sont paralysés par la peur ». Autrement dit, la peur les empêche de fuir, ce qui n'est pas le cas des cameramen, sauf de Talal Abu Rahmé qui, pour sa part, peut filmer tranquillement la scène de la mort de l'enfant, tout en affirmant qu'il ne peut aller à son secours sous peine d'exposer son équipe et lui-même aux tirs israéliens... Cela me paraît totalement incohérent!

La peur étant naturelle en situation de danger, la journaliste de Proche-Orient info qui ne connaît pas le dossier dans tous ses méandres y voit une preuve de ce même danger. En conséquence, elle vise à présent à obtenir d'Enderlin une condamnation sans nuance de la thèse de Nahum Shahaf selon laquelle la mort de Mohamed Al Dura est « une mise en scène des Palestiniens qui auraient sacrifié un de leurs enfants ».

Or, nous savons, d'après les éléments du dossier israélien et l'entretien de Shahaf que *la thèse de celui-ci n'est pas la mise en scène du sacrifice d'un enfant palestinien par les Palestiniens eux-mêmes, mais la mise en scène d'une fausse mort d'un enfant palestinien.*

La question de la journaliste n'est donc pas pertinente. Pourquoi la pose-t-elle ? Afin qu'Enderlin puisse à bon droit dire que la thèse de Shahaf est une ignominie ? Car ce serait effectivement une incontestable ignominie que d'accuser sans preuve les Palestiniens d'avoir tué l'enfant qui se trouve dans le reportage de France 2 ! Toujours est-il que le lecteur retient de cet entretien que l'ignoble, c'est Shahaf.

Enfin, après avoir, à juste titre, précisé sa position dans la hiérarchie professionnelle de France 2, Enderlin en vient à se prononcer sur le reportage d'Esther Schapira. Il le considère comme plein d'insinuations et sans démonstration convaincante. Il conteste notamment qu'elle ait pu interviewer des soldats israéliens dont le prénom est d'origine juive, alors qu'il n'y aurait eu, selon lui, que des soldats d'origine druzze dans le fortin.

Piètre argument pour quelqu'un qui n'a pas hésité à être interviewé par une journaliste dont il décrie le reportage, puisque la preuve sera donnée plus tard (il aurait suffit qu'il se renseignât) par le commandant du fortin en question qu'il y avait bien sur place 20 soldats d'origine juive et 5 d'origine druzze.

Olivier Mazerolle

Puis c'est au tour d'Olivier Mazerolle, Directeur de l'information de France 2, d'être interviewé par Elisabeth Schemla, le 2 octobre 2002. Rappelons que si, à l'époque des faits, il n'était pas à la place qu'il occupe actuellement, il n'en connaît pas moins le témoignage manuscrit du cameraman qui lui est parvenu, sans doute à sa demande, le 28 septembre 2002. Pourtant il ne corrige pas l'information. Il préfère affirmer que le reportage d'Esther Schapira « n'apporte rien de nouveau », ce qui, quoi qu'on pense de ce reportage, est tout de même inexact, étant donné qu'il prouve que le commentaire initial de Charles Enderlin était hâtif. Aussi ne se sent-il pas dans l'obligation d'aller de l'avant, comme le prévoient les articles de sa Charte d'Ethique conçus expressément pour encadrer tout retour nécessaire sur l'information.

Il aura donc fallu que Nahum Shahaf commence à déconstruire le reportage de France 2 et à en révéler les éléments fictifs pour que la chaîne publique soit obligée de s'expliquer sur le commentaire de Charles Enderlin. Mais, au lieu de le corriger, elle s'en prend au « facteur de la vérité » (Shahaf) et s'obstine à demeurer dans une confusion lourde de signification. Comme si le retour de l'information était le premier fil d'une pelote. Comme si France 2 savait que nul ne pouvait se satisfaire d'un désaveu aussi profond soit-il, puisqu'il ouvrirait, *de facto*, la voie à une enquête sur les conditions d'élaboration du reportage qui reprendrait tout à zéro.

A l'heure où je termine ce livre, mi-décembre 2002, et après avoir demandé en vain à titre professionnel et au nom de La Ména à Olivier Mazerolle de visionner les « rushes » de France 2, comme il s'était proposé de le faire à qui le demanderait lors d'un entretien sur une radio juive, ce sont les seules réactions officielles de France 2 (qui confirment celles que le médiateur a données en son temps) que j'ai pu noter. Il va de soi qu'elles ne font pas le poids face au dossier présenté par Shahaf.

Une critique palestinienne

Un collègue palestinien de La Ména, Sami El-Soudi, apporte alors de nouveaux éclairages dans sa dépêche *Nous sommes des êtres humains adultes* [1] !

Il serait tentant de dénoncer le fait que Sami El-Soudi justifiât son analyse de la mort de Mohamed Al Dura par des interprétations relatives à des faits qui lui sont postérieurs, et d'affirmer en

1. Info #010910/2.

conséquence que cette analyse perdît toute sa pertinence. C'est l'impression que peut donner la première partie du texte qui va suivre. Mais dans la seconde partie, il livre des informations sur l'événement, même si, comme Charles Enderlin, il n'était pas sur place, et même si, comme Talal Abu Rahmé, qui, lui, y était, il n'a rien pu voir de l'instant précis où l'enfant meurt ni en direct ni par l'intermédiaire des images filmées (la scène, on l'a vu, ayant été masquée par un nuage de fumée). Nous devons noter cette limite qui cependant n'invalide pas l'analyse qu'il présente.

« ... A la lecture des réactions liées à l'affaire A-Dura, écrit-il, notamment celles des responsables de la chaîne française de télévision (FR2 NDLR), je conçois à quel point l'Occident persiste dans son ignorance de ce qui se passe dans le monde arabe en général et dans l'Autonomie palestinienne en particulier.

J'ai eu l'occasion, dans mes précédents articles, de m'élever contre les faux amis des Palestiniens vivant dans les démocraties libérales. J'avais demandé qu'on cesse d'encourager les pitreries propagandistes orchestrées, régies, par les leaders corrompus qui nous gouvernent et qui nous enfoncent dans une impasse stratégique, chaque jour un peu plus avant.

Les Palestiniens ne sont pas des clowns, chers amis, et votre acceptation débonnaire des pitreries audiovisuelles décidées par une poignée d'irresponsables ne fait que les encourager à persévérer... Et pour comprendre ce que j'essaie de vous dire, vous devez absolument faire acte de déracisme et cesser de nous considérer comme des personnes qui penseraient ou qui réagiraient d'une façon différente de votre propre capacité à percevoir les événements. Le temps des bons petits nègres est révolu, comme l'est celui des bons petits arabes ethniques, dont, à voir comment vous réagissez, votre sympathie aveugle ne s'est pas encore écartée.

Cela pour vous dire que nous étions morts de honte, nous surtout, nous principalement, lorsque nous avons vu les images, reprises par toutes les télévisions du monde, qui montraient le mort de Jénine remontant sur sa litière par ses propres moyens ! Car si nous sommes un peuple qui doit inventer des massacres fabuleux et augmenter le nombre de ses morts afin de justifier nos droits nationaux et politiques, alors nous ne sommes rien. Rien d'autre que des Augustes de cirque qui entendraient quémander leur liberté en nous transformant tous en acteurs de séries B...

Presque tous les réalisateurs palestiniens participent plus ou moins volontairement à cet ordre de guerre, au prétexte officiel que nous devrions utiliser tous les moyens possibles, y compris la ruse et l'affabulation, pour contrer les tanks et les avions de l'ennemi qui nous font défaut.

L'exagération mise en scène de nos souffrances est ainsi devenue un mode de comportement dans notre civilisation. Elle compte des acteurs vedettes, censés avoir été blessés à de nombreuses reprises par les forces de l'occupant, s'être échappés de ses prisons et avoir repris le combat sacré. Dans les faits, ces personnages de propagande n'ont jamais participé à la moindre bataille avec les Israéliens et la création de leurs rôles n'a eu pour but que d'exacerber le nationalisme et de prouver le soi disant bien fondé de l'organisation des scénarios des massacres virtuels ».

Puis, il en vient à la mort de Mohamed Al Dura.

« Je n'ai pas participé aux enquêtes spécifiques relatives à l'affaire A-Dura et je m'abstiendrai donc d'en parler. Ceci dit, il faut quand même que vous sachiez que nos organes officiels ont fait état de 300 morts et blessés pour le jour ou le petit Mohammad aurait été tué, ce dans la seule région du carrefour de Netzarim. Pour saisir ce dont je parle, et après m'être dûment renseigné à ce propos, je suis en mesure d'affirmer qu'en réalité un Palestinien qui attaquait la position tenue par les Juifs a été abattu ce jour-là par un sniper et que cinq ou sept autres ont été blessés de diverses façons, la plupart de manière superficielle.

J'ajoute que ce sont des Palestiniens armés qui ont attaqué, à l'arme automatique et au cocktail Molotov la position de l'armée sur le carrefour et qu'on n'a observé, ce jour-là, aucune initiative militaire des Israéliens à cet endroit. Les combattants qui ont réellement attaqué la position israélienne étaient au nombre d'une quinzaine tout au plus. Quelques dizaines d'autres personnes armées tiraient en l'air pour donner l'impression d'une véritable bataille, lorsque ça n'était pas au-dessus de la foule. Ils généraient ainsi des mouvements de panique à l'aspect photogénique. Ils étaient entourés de centaines de manifestants et de personnes désœuvrées, et surtout, de plusieurs de ces réalisateurs de scènes d'horreur construites, qui ont savamment organisé une ambiance d'émeute, afin de créer l'atmosphère nécessaire à leur tâche. La plupart de ces scènes ont été tournées à quelques centaines de mètres de la position de Tsahal mais sur des emplacements hors de portée des tirs des soldats.

La plupart des cameramen sur place étaient palestiniens, nombre d'entre eux travaillant pour des chaînes de TV internationales. Ceux-ci participent volontiers à la mascarade, en filmant les mises en scène, croyant ainsi participer à une action patriotique. Autour d'eux, lorsqu'une scène était réussie, les badauds riaient et applaudissaient en signe de satisfaction. Bien entendu, des heures de pellicule ont été tournées ce jour-là et je crains, pour l'image de mon peuple, qu'elles n'aient été récupérées par Nahum Shahaf et ses enquêteurs et que ce dont je parle ne s'affiche prochainement sur les écrans d'Amérique et d'Europe.

Autre fait marquant autour de ces *émeutes*, pour une raison que je ne maîtrise pas encore, alors que le film de la chaîne française, repris par les télévisions occidentales, appelait la victime « Mohammad » A-Dura, durant au moins une semaine, la télévision palestinienne et les chaînes arabes l'appelaient « Rami [1] » A-Dura, appelant à

1. On trouve encore aujourd'hui ce prénom mentionné sur http ://www.al-sham.net/al-quds.html. A l'époque de l'événement, un journaliste comme Pierre Laurent pouvait écrire, le 9 octobre 2000, dans *L'Humanité* (rubrique International : éditorial : Faire échec à la logique de guerre) : « Va-t-on assister dans les heures qui viennent à la mise à mort du processus de paix au Proche-Orient, à un nouvel embrasement de la région ? La lucidité impose malheureusement de redouter le pire. La journée d'aujourd'hui s'annonce décisive. La menace est cette fois clairement brandie par le premier ministre israélien dans l'ultimatum lancé au président palestinien, Yasser Arafat. Si ce soir, au terme de Yom Kippour, il n'est pas mis fin aux violences, a déclaré Ehud Barak, l'armée israélienne le fera « par tous les moyens ». On sait ce que ces mots veulent dire, hantés que nous sommes depuis

la vengeance de son sang. Ça n'est qu'ensuite que nos médias ont emboîté le pas aux Occidentaux et se sont mis à appeler la jeune victime du prénom de Mohammad.

Au cœur du problème, il y a que ces mises en scène remplacent la discussion de fond sur l'avenir de cette région et de ses habitants et qu'à chaque fois que les supercheries audiovisuelles ou médiatiques éclatent au grand jour, nous apparaissons tel un peuple de polichinelles, dénué de parole et de dignité nationale... »

Cette fois, c'est donc du cœur même des Palestiniens qu'une voix s'élève pour dénoncer une « mise en scène ». Son article ne fait d'ailleurs l'objet d'aucun commentaire.

Résumons-nous.

Les aspects historiques de la légende sont à présent clairement identifiés. Rien ne prouve que les Israéliens aient tué l'enfant, a fortiori de sang-froid [1]. Au contraire.

---

une semaine par les images du petit Rami, coincé au carrefour de Netzarim dans la bande de Gaza, blotti contre son père, fauché par une rafale.

1. L'écrivain et journaliste Michel Warshawski n'a pourtant pas hésité à l'affirmer et à utiliser cette affirmation dans un esprit d'accusation partisane en ces termes : « La photo du petit Muhammad, assassiné de sang-froid par un tireur israélien devant la colonie de Netzarim, hante les bonnes âmes israéliennes, et leur impose la réalité de l'occupation – répres-

Tout prouve qu'ils ne l'ont pas fait. Il est en effet impossible qu'il ait pu être atteint à partir de leurs positions.

Mais les aspects fictifs sont encore en question. *Rien ne prouve que la mort de l'enfant, nommé à l'écran Mohamed Al Dura, n'ait pas été une réalité, mais de nombreux indices font apparaître que ce n'est pas sa mort, mais la fiction et la mise en scène de sa mort, qui ont pu être cette réalité.*

C'est pourquoi, en toute conscience, je ne peux plus différer le moment de contre-expertiser la thèse de Shahaf. Cela suppose que Juffa, Shahaf et moi, « nous allions ensemble aux rushes » [1].

---

sion au détriment des illusions, ô combien agréables, de la paix au rabais. Et c'est bien pour cela que ces bonnes âmes sont obligées d'accuser et Muhammad et son père, car autrement, elles seraient non seulement coupables du meurtre du petit Muhammad et de dizaines d'autres enfants palestiniens... », in *Immoralité absolue,* Revue d'Etudes Palestiniennes, 26, nouvelle série, hiver 2001, p. 92. Comme si les meurtres d'enfants palestiniens, que l'on ne saurait dissocier des meurtres d'enfants israéliens et inversement, avaient besoin de cette photo pour être scandaleusement visibles (voir notre conclusion).

1. En anglais « let's go to the rushes ! » Tel fut le « schibboleth » (« mot de passe ») que Shahaf nous lança.

CHAPITRE IV

« LET'S GO TO THE RUSHES »

Oh, monsieur, vous savez bien que la vie est pleine d'innombrables absurdités qui poussent l'impudence jusqu'à n'avoir même pas besoin de paraître vraisemblables : parce qu'elles sont vraies.

Luigi PIRANDELLO

Rien du tout

« Rushes ». Mot anglais qui désigne le film brut. Les rushes représentent tout ce qui a été filmé par un cameraman. Ce sont aussi des « épreuves », comme si la réalité filmée n'était jamais qu'un événement dont on avait tenté de donner telle ou telle version, avec le souci déontologique de se rapprocher au plus près de son déroulement.

Nous ne parlerons pas des rushes réalisés par Talal Abu Rahmé, et pour cause, nous ne les avons jamais visionnés.

De ces rushes, d'ailleurs, qu'est-ce que ce cameraman a à nous dire ? Le reportage d'Esther Schapira le montre en train de sourire et de cligner de l'œil au moment où elle l'interroge sur les images qu'il détient. « France 2 has collected, dit-il l'air narquois,... we have some secrets, you know, for ourselves, we cannot give anything ». Puis, il se reprend : « yes, everything ».

« Anything » : « rien ». « Everything » : « tout ». Est-ce donc réellement la même chose ? « France 2 a rassemblé...nous avons des secrets, vous savez, pour nous-mêmes, nous ne pouvons rien donner...oui, tout ». Que veut-il donc nous dire ? Tout de même pas cette idée saugrenue qu'il pourrait nous donner tout, mais que c'est rien qu'il doit nous donner !

D'ailleurs, que pourrait-il donc nous montrer qu'il ne nous montre pas ? Ce qu'il n'a pu filmer à cause du nuage de poussière sur lequel il insiste d'ailleurs lourdement ? Ou ce qu'il a filmé et qui est aisément discernable, malgré ce nuage ?

Alors oui, Charles Enderlin a beau jeu de dire « nothing has been manipulated. There is no fabrication, there is no manipulation » (« Rien n'a été manipulé. Il n'y a pas de fabrication, il n'y a pas de manipulation »). Puis, argument suprême : « anybody accusing Talal, me, or France 2 for manipulation or fabrication, for us it is enough to go to the Court (« Celui qui accuserait Talal, moi, ou France 2 de manipulation, pour nous, il y aurait de quoi intenter un procès en justice »).

En effet, pour accuser qui que ce soit de manipulation, il faut d'abord prouver qu'il y a un original et un montage, puis il faut les comparer, en indiquant avec précision toutes les modifications, effacements et ajouts, bref toutes les retouches qui ont été apportées.

Ainsi a-t-on pu prouver que Staline avait effacé Trotsky des images-cultes de la Révolution d'Octobre. Ces effacements avaient une finalité révisionniste. (Réécrire l'histoire de façon mensongère).

Ainsi peut-on aisément prouver que le soldat israélien que l'on voit en train de viser dans les films de propagande palestinienne n'était pas présent dans le reportage de France 2, tout en notant que cet ajout (pour des raisons artistiques, affirme froidement un responsable palestinien des médias, qui en même temps revendique le principe : « la vérité, toute la vérité, rien que la vérité ») a, lui, une finalité négationniste (inventer une fausse réalité).

Pour tuer dans l'œuf l'un ou l'autre de ces effets, il faut que le trucage soit dévoilé au moment même où il se fait. C'est ce qui s'est passé avec l'affaire du « mort de Jénine » : tout le monde a pu être témoin que le « mort » était tombé du brancard, s'était relevé et s'était réinstallé sur le même brancard en vue de la scène finale.

Mais, le plus remarquable est qu'ici ce sont Talal Abu Rahmé et Charles Enderlin eux-mêmes qui affirment que des images ont été retirées. Si donc, l'on voulait les accuser de manipulation il suffirait de prouver qu'ils ont retiré des images qui *contredisaient* celles qu'ils avaient sélectionnées pour le reportage.

Or, à ce moment précis de notre contre-expertise, aucune preuve ne nous est donnée pour l'affirmer. Tout au plus peut-on dire qu'ils ont retiré des images qui, selon eux, auraient pu altérer le message dramatique du reportage. Mais quelle est la nature de cette altération ?

Prenons par exemple les images que Talal Abu Rahmé dit avoir filmées et qui montrent le père de Mohamed, Jamal Al Dura, en train de téléphoner à l'aide de son mobile [1], juste avant d'être touché par une balle à l'épaule, et réintroduisons-les dans le reportage de 50 secondes tel qu'il a été retransmis par France 2. Avouons qu'elles « auraient fait bizarre ». En pleine panique, sous les balles sifflantes, menacé de mort, le père de Mohamed sort son téléphone mobile et appelle quelqu'un. Soit. Gageons que le téléspectateur n'aurait alors pas manqué de noter la différence d'expression entre le stress qui le faisait supplier les tireurs (face à la caméra, et non en direction des soldats du fortin israélien

1. Son destinataire aurait été le journaliste Sami Ziara, lequel aurait envoyé la fameuse ambulance que (selon ses dires) ni Talal Abu Rahmé dans la réalité, ni personne sur les images de télévision, n'a jamais vue.

qui, de toute façon, se trouvent à 110 mètres) de l'épargner lui et son enfant, et le sang-froid avec lequel il pianotait auparavant sur son téléphone. Devons-nous admettre que ces images ont été retirées parce qu'elles n'auraient rien apporté, si ce n'est provoquer la distraction du téléspectateur devant une telle tragédie ?

Mais les mêmes images de gestuelle téléphonique qui apparaissent dans les rushes d'autres cameramen, montrant notamment de jeunes palestiniens en train de téléphoner tranquillement au milieu de l'agitation générale, peuvent laisser croire que les professionnels de l'image les ont à dessein retirées, pour qu'il ne puisse venir à l'esprit de personne que des moments de détente pouvaient avoir lieu au cœur de cette bataille, voire des scènes pittoresques et pour le moins décalées.

Le problème est que des scènes décalées, nous allons en rencontrer un grand nombre.

Par exemple, incroyable est le nombre de gens qui filment tranquillement la bataille de Netzarim le 30 septembre 2000. Non seulement des professionnels, qui sont parfois à dix mètres des événements, mais même des gens de la rue.

A croire qu'ils ont reçu une invitation et des laissez-passer...

Incroyables aussi les voitures, les taxis (Enderlin le dit lui-même) et même les vélos, qui circulent paisiblement au beau milieu de ce carrefour. Sans doute toutes ces scènes de la vie quotidienne se seront-elles déroulées en dehors des quarante-cinq minutes pendant lesquelles les Israéliens auraient tiré en continu sur tout ce qui bougeait !

On comprend alors aisément que si toutes ces scènes avaient été conservées dans le reportage, le téléspectateur aurait eu le sentiment que quelque chose clochait. Or la mort de l'enfant auprès de son père gravement blessé, si elle avait bien eu lieu, était trop grave pour laisser croire un seul instant que l'intensité de l'action n'avait pu être continue.

Autres exemples, on s'étonne de voir des enfants sourire au passage des ambulances, comme il est surprenant qu'à peine deux secondes après qu'un palestinien s'est effondré, une ambulance arrive sur les lieux pour le transporter à l'hôpital. A croire que le chauffeur savait par avance où un palestinien allait être blessé, ou bien qu'il attendait juste à l'écart et en amont du champ photographique, afin qu'au signal donné, son ambulance puisse faire irruption à l'endroit prévu (cette scène est visible dans le reportage de France 2).

Enfin, cette image saisissante d'un Palestinien s'écriant : « tout est fichu ! Tout est à refaire ! ».

En brandissant la menace d'un procès pour accusation mensongère, nous comprenons donc très bien que Abu Rahmé et Enderlin jouent sur du velours. Car il est hors de question de prétendre que les images de la mort de l'enfant soient venues à la place d'autres images qui existeraient dans les rushes de France 2.

Si mort de Mohamed il y a eu, et si cette mort a bien été filmée, elle doit effectivement se retrouver telle quelle, même si ce n'est pas dans son intégralité, selon l'aveu d'Enderlin, dans les rushes de France 2.

Mais alors, qu'est-ce qui fait sourire Talal Abu Rahmé ? Que, pas plus que quiconque, Esther Schapira n'accèdera jamais à ses images ? Serait-il donc en train de lui dire : « Vous aimeriez bien les voir, ces images, hé bien ne comptez pas sur moi ! » ou bien : « Je vous ai joué un bon tour, mais je ne vous dirai pas en quoi il consiste » ?

Un trouble devant l'avalanche de rushes

Du haut de son rocher de Metula (Israël), Stéphane Juffa, rédacteur en chef de Metula News Agency, mène un étrange combat.

Proche du parti israélien de gauche Meretz, il a réuni une équipe de journalistes (Israël, Liban, Territoires palestiniens, France...) juifs, chrétiens et musulmans, religieux et athées, de gauche et de droite dont un des aspects de la solidarité journalistique (ce n'est heureusement pas le seul) réside dans le but de décentrer la couverture médiatique politiquement correcte qui s'épanouit majoritairement, dans la presse française notamment. Consciente qu'elle aide, entre autres, la diaspora juive francophone à recharger ses batteries, à un moment où elle déprime profondément, l'équipe de la Ména refuse pour autant d'être aliénée de quelque manière que ce soit à l'éloge et à la défense de la politique de l'Etat d'Israël.

Lorsque j'arrive pour visionner les rushes qui se trouvent en possession de Nahum Shahaf, Juffa a son air des grands jours : sûr de lui, mais pas dominateur du tout. Sa voix tranquille qui habituellement tente d'amuser l'interlocuteur en faisant appel, ça et là, à un léger accent suisse, est un tantinet sérieuse.

Dans la voiture, il me fait part de son mécontentement : « Ça avance, mais ce n'est pas facile, avec lui » ! « Lui », c'est Nahum Shahaf.

Nous surprenons la sympathique équipe des techniciens en pleine discussion avec Shahaf. Je comprends immédiatement que nous avons à faire à un de ces scientifiques qu'en France on a l'habitude d'appeler « professeur Nimbus » et que Stéphane nomme plus volontiers « cosmonaute ». Un de ces esprits qui, plutôt que de livrer d'emblée le résultat de ses recherches, va tenter par tous les moyens d'en retarder la connaissance, en exigeant que nous plongions, en apnée, dans l'océan des incertitudes qu'il a rencontrées avant de l'établir.

En un clin d'œil je comprends que nous serons scotchés aux écrans pour des lustres si nous ne trouvons pas l'argument décisif pour que Shahaf aille immédiatement à l'essentiel.

Quelque chose bloque, mais quoi ?

Le manager est un producteur dont la sympathie ne le dispute qu'à l'esprit thomiste qui l'habite. Quand il tente de parler, d'une voix quasi monocorde, c'est pour dire avec élégance et humour qu'il ne croit que ce qu'il voit, que ce n'est pas la peine de tourner autour du pot, que le temps file à toute allure et qu'il a mille autres choses à faire.

Son assistante révélera ses talents de négociatrice, car, sans elle, Shahaf n'aurait peut-être jamais accepté que nous visionnions les images décisives. Je la revois encore en train de lui expliquer, inlassablement, toutes les contraintes techniques qu'il lui faudra résoudre, et qui semblent être le cadet des soucis de Shahaf.

Car, qui est-il, ce soi-disant extra-terrestre, cet homme qui n'a rien filmé, et pour cause, mais qui possède un matériel journalistique provenant de différentes chaînes de télévision – Reuters,

NHK, BBC two... –, matériel qui est composé de copies provenant, pour une part, des télévisions qui ont filmé les événements de Netzarim (mais pas la mort de l'enfant) en direct, et de l'autre des émissions spéciales qui ont été constituées en appui sur ces images ?

Mon intuition me donne à penser que c'est un « écorché vif », quelqu'un qui demande à ses interlocuteurs de douter, mais qui, en même temps, ne le supporte pas. Comme si douter, c'était quand même le soupçonner de mentir, et pis encore, d'être de mauvaise foi.

Nous passons donc un nombre d'heures non négligeables à le rassurer sur ce point : comme chacun d'entre nous, il ne saurait être au-dessus de tout soupçon, mais notre soupçon ne nous fait pas douter de lui, seulement de ses conclusions.

La discussion en arrive à ce point, tandis que défilent des images que nous commentons librement les uns les autres et que rien n'est encore acquis d'un travail en commun qui déboucherait sur un reportage destiné à dévoiler une mise en scène de la mort de l'enfant palestinien, quand nous sommes surpris de voir Shahaf dans l'incapacité de parler. Nous sommes en train de visionner le reportage de BBC Two « Le jour où la paix est morte », dans lequel le lynchage à mort de deux soldats israéliens par des Palestiniens de Ramallah (le 12 octobre 2000) succède aux images de la mort de l'enfant. Soudain il quitte brutalement la pièce. Comédiante ? Tragédiante ?

Du lieu où je me trouve, je le vois marcher dans le couloir, un mouchoir à la main. Il pleure en silence, envahi par l'émotion.

Il n'est pas difficile de comprendre que quelque chose s'est noué en lui autour de cet événement, qui l'empêche de parler et qui a affaire non seulement avec le traumatisme du meurtre de ces soldats, mais encore avec l'état de scandale dans lequel il se trouve à l'idée que non seulement ce qu'il estime être la fausse mort de l'enfant puisse lui être comparée, mais encore qu'elle puisse sinon le justifier, du moins en atténuer les effets.

Tout en partageant son émoi, je me demande alors si l'enquête qu'il a menée a précédé pour l'essentiel la date du lynchage de ces hommes à Ramallah ou si elle a eu lieu après, si les conclusions auxquelles il est parvenu, longtemps après, ont quelque chose à voir avec l'impérieuse nécessité intérieure dans laquelle il semble se trouver de délégitimer l'image de l'enfant comme vrai-faux martyr pour mieux légitimer les soldats israéliens comme victimes d'un vrai-vrai lynchage.

Et je réalise tout à coup que je n'aurai jamais de réponse. Car, en admettant même qu'il ait eu un *insight* dès la projection du reportage de

France 2 et qu'il ait réuni des éléments de compréhension qui l'ont conduit, dès son désaccord avec Doriel, à émettre et approfondir l'hypothèse d'une mise en scène, il est certain que sa réaction au lynchage de Ramallah n'a pu que l'enfermer dans l'obsession de l'expliciter et d'en démontrer la validité à tout prix.

Aussi je me demande à nouveau : à quoi bon tout cela ? Ne vaut-il pas mieux nous contenter de dénoncer cette double ignominie et d'honorer la mémoire des victimes, plutôt que de faire également l'archéologie du reportage de France 2 et tenter de prouver que l'enfant n'est pas mort sous les balles israéliennes, ni palestiniennes d'ailleurs, tout simplement parce que l'enfant que nous avons vu à l'image serait un acteur qui jouait le rôle d'un martyr en direct, au début de la déflagration de la seconde Intifada ?

Certes. Mais le sang des soldats lynchés est bien visible, lui, sur les mains des lyncheurs, tandis que celui des Al Dura ne l'est pas. Un des lyncheurs est parvenu à la fenêtre de l'ignoble célébration en exhibant ses mains tueuses, rouges de sang, sous les acclamations de la foule, mais le même sang, l'autre sang des Al Dura, ne s'affiche ni sur le corps du père ni sur les points d'impact des balles à haute vélocité qui auraient frappé le fils, ni sur le baril, ni sur le mur, ni parterre. Alors où [1] ?

Une tentative a priori de délégitimer la déconstruction de la mise en scène

Depuis plusieurs semaines, France 2 est informée que Metula News Agency pose publiquement un grand nombre de questions sur son reportage. Elle sait même que l'entretien avec Nahum Shahaf doit déboucher sur un reportage

---

1. Un observateur aussi impliqué que Elie Barnavi, ambassadeur d'Israël en France entre décembre 2000 et octobre 2002, révèle à sa manière l'incapacité dans laquelle les Israéliens notamment, mais aussi tous les téléspectateurs, se trouvent de récuser le parallèle entre ces deux reportages. Après avoir noté que « cette mort en direct » est une « horrible tragédie », et que « cette image-là aurait dû arrêter net la violence », il rallie la thèse israélienne selon laquelle « le petit Mohamed a été victime d'une balle perdue ». C'est alors qu'il mentionne que, deux jours plus tard (sic ! puisque c'est douze jours plus tard), deux réservistes israéliens ont été sauvagement lynchés dans un poste de police à Ramallah « en direct eux aussi ». Puis, il conclut : « ainsi va-t-elle, cette guerre-là (la guerre des images/nda), aussi impitoyable que l'autre, la vraie : une horreur chasse l'autre, et il faut le meurtre, volontaire celui-là, de deux malheureux, pour « équilibrer » quelque peu la mort accidentelle d'un jeune garçon » in *La France et Israël*, Paris, Perrin, 2002, pp. 119 et 120. Barnavi n'a pas su distinguer entre l'absence de sang sur le corps des Al Dura et la présence du sang des soldats israéliens sur les mains des lyncheurs.

qu'elle est prête à lui faire visionner en exclusivité [1].

Mais depuis les prises de position officielle d'Enderlin et de Mazerolle, France 2 se tait.

Le débat public que j'ai appelé de mes vœux, en écrivant au journaliste Charles Enderlin, au médiateur Jean-Claude Allanic, au Chargé de mission Didier Epelbaum et au Directeur de la Rédaction Olivier Mazerolle, n'intéresse personne [2]. Il n'y a pas d'abonné au numéro que j'ai demandé.

De fait, je comprends que France 2 est décidée à ensevelir le « micro-débat » qui porte sur la retransmission télévisuelle de la mort du petit Mohamed sous un « macro-débat » qui porte, quant à lui, sur la rupture du processus d'Oslo, que Charles Enderlin a reconstitué en deux émissions qui seront diffusées les 3 et 4 novembre 2002.

A quoi s'ajoute le fait que toute tentative de prouver ou de déconstruire la mise en scène éventuelle de la mort de l'enfant fait l'objet d'une attaque en règle, huit jours auparavant, non pas par France 2 mais par un journaliste du

---

1. Cette proposition se concrétisera le 18 novembre 2002, par une lettre officielle adressée en A/R au Directeur Général, Christopher Baldelli, demeurée à ce jour sans réponse.

2. Plus exactement, officiellement, ce débat n'intéresse alors personne, tandis que, lors de rencontres privées, Epelbaum et Allanic me disent que l'idée du débat est bonne.

Monde. En effet, ainsi que je l'ai rappelé dès mon introduction, Nahum Shahaf se trouve soudain agressé par le journaliste Sylvain Cypel [1] comme quelqu'un dont on ne peut dire qu'il est un expert qu'à la condition de mettre ce mot entre guillemets, puisqu'il serait un « négationniste ». Cypel prétend que Shahaf n'en est pas à un coup d'essai. Il aurait déjà affirmé qu'Ygal Amir n'est pas le meurtrier du Premier ministre Ytzhak Rabin. L'argument est fallacieux. Je l'ai démontré plus haut. En effet, lors de la conférence qu'il a donnée au sujet de cet assassinat, Shahaf n'a jamais mis en doute la responsabilité ni la culpabilité de cet assassin. Il a seulement affirmé qu'il lui était impossible de savoir si Amir avait agi seul ou s'il avait disposé d'appuis. Qu'à cela ne tienne ! Cypel écrit : « *à chacun ses Meyssan* [2] ».

En fait, selon Cypel, Charles Enderlin serait victime d'une cabale qui vise à le discréditer comme « manipulateur de l'information ».

Stéphane Juffa se porte alors à la rescousse de Shahaf. Dans une dépêche [3], il rappelle qu'il existe des thèses opposées au sujet de ce que

---

1. Cypel annonce ces deux émissions In *La sale rumeur, Le Monde,* daté du 26 octobre 2002, supplément Télévision.

2. Thierry Meyssan est connu pour avoir affirmé qu'aucun avion ne s'était encastré dans les Twin Towers, le 11 septembre 2001. La comparaison est donc scandaleuse pour l'esprit de vérité et d'objectivité.

3. In *La sale rumeur ? (Info#01280/2.*

montre le reportage de France 2. Or, ni France 2 ni *Le Monde* ne veulent ouvrir de débat public contradictoire. Cette attitude fait d'emblée de n'importe quel journaliste un professionnel au-dessus de tout soupçon d'erreur, ce qui, dans une société démocratique, n'est pas acceptable.

Puis, soulignant que Cypel ne maîtrise pas son sujet puisqu'il commet une erreur en datant la mort du petit Mohamed du 2 octobre 2000, il rappelle que ce journaliste ne peut disqualifier la commission d'enquête lancée par le Général Yom Tov Samia en se contentant d'affirmer qu'il aurait engagé une campagne pour démontrer que l'enfant a pu tomber sous une balle palestinienne.

De la même manière, il ne peut discréditer cette enquête au prétexte qu'elle servirait les intérêts d'une frange de l'extrême-droite israélienne, dans la mesure où elle a respecté les règles.

Juffa considère cette accusation comme un fait de désinformation anti-israélien caractérisé.

Il rappelle alors que La Ména, qu'il estime être indirectement visée par l'article, n'a pas cédé à une « campagne fantasmagorique » ou aux « charmes d'un mage israélien », mais aux « évidences d'une commission d'enquête ».

De plus, même si La Ména ne retient pas l'hypothèse de tirs palestiniens sur l'enfant et son père, il rappelle, photo à l'appui, qu'il est arrivé aux Palestiniens de se tirer froidement les uns sur les autres.

Il s'agit d'une photographie, extraite des rushes filmés par des cameramen de Reuters, *le 30 septembre 2000*, à quelques mètres de l'endroit où se trouvaient Jamal A-Dura et l'enfant. « Les cameramen ont intercepté la trajectoire d'une balle tirée en direction d'un groupe de manifestants palestiniens, alors que ce groupe se trouvait, objectivement et sans l'ombre d'un doute raisonnable, hors de portée des fusils et du champ de vision de tout soldat israélien ».

Puis, faisant notamment référence à un groupe d'associations juives et non juives qui ont manifesté devant France 2, le 2 octobre 2002, afin de remettre le « Prix de la désinformation » à la chaîne nationale pour avoir diffusé le reportage d'Enderlin, mais également à d'autres associations, il revient sur la question du débat public en ces termes : « Il n'y a pas que *le collectif regroupant divers organismes juifs français* [1] qui prétende,

1. Cypel joue sur le fait que, dans un premier temps, ce Prix fut appelé « Prix Gœbbels de la Désinformation », mais que devant l'irritation de nombre d'associations, la sinistre et inadmissible référence à Gœbbels fut abandonnée. D'autre part, il tente de faire valider la preuve que Enderlin serait victime d'une rumeur par le fait que des organisations – dont La Ména (pour notre agence, il n'a jamais été question et il ne sera jamais question de prendre part à un Prix de ce genre,

qu'au vu du pourrissement des thèses sur l'affaire A-Dura, de l'échauffement des tempéraments, mais surtout, en présence de thèses antinomiques proposées par des partis, tous, absolument respectables, il serait urgent que FR2 prenne l'initiative de diffuser un débat d'experts. La Ména partage cette opinion et en a par ailleurs fait la

---

mais seulement d'établir la vérité) – qu'il ne nomme pas, à l'exception de celles dont le nom produit un effet certain sur le lecteur, aient refusé de s'associer à cette remise de prix. Enfin, il manie le paradoxe au point de laisser entendre que tout ceci résulte d'une manipulation d'extrême-droite et que des journalistes de gauche (comme ceux de La Ména) s'en sont dissociés, tout en partant en guerre contre ces mêmes journalistes qui cèderaient quand même aux sirènes de l'extrême-droite, puisqu'ils reprennent à leur compte, pour la valider, la thèse de Nahum Shahaf.

Cypel sera rejoint par Dominique Vidal, quand celui-ci utilisera, à son tour, l'alibi de la « cabale » contre Enderlin pour discréditer par avance le travail de recherche de La Ména. Dans *Le Monde Diplomatique* (Décembre 2002), il écrit que le « crime » d'Enderlin est « d'avoir témoigné de la mort du petit Mohamed Al-Doura dans les bras de son père. Depuis que le général Giora Eiland a reconnu l'origine israélienne du tir (en note un article de *Haaretz* du 25 janvier 2002, alors que la position de Eiland, nous l'avons vu, date d'octobre 2000/NDA), la Ména ne sait qu'inventer : faute d'avoir pu prouver que le feu provenait des positions palestiniennes, elle assure que l'enfant serait...vivant ! « *Cette affaire n'est qu'un prétexte,* conclut Enderlin. *Ces gens ne supportent pas qu'un journaliste fasse son travail honnêtement. D'ailleurs, jamais personne n'a porté plainte contre moi* ». Vidal ignore l'enquête israélienne, Enderlin passe sous silence le démenti de Talal Abu Rahmé, mais c'est la Ména qui invente n'importe quoi...

proposition, fort civilement, à la direction de la chaîne. Nous sommes ici d'avis que la télévision publique française a pris une responsabilité extraordinaire en diffusant le reportage d'Abou Rahma et le commentaire d'Enderlin aux quatre coins de la planète et qu'il lui appartient désormais, faute de se décrédibiliser, d'en soutenir le débat public. Malgré les dérobades de FR2, nous envisageons toujours de proposer notre film, en primeur, à M. Mazerolle et de le faire suivre d'un débat contradictoire et en direct. »

Un scénario en quête d'auteurs

Avant le débat, il y a l'établissement de la contre-expertise.

Selon le *Grand Robert*, « une contre-expertise est une expertise destinée à en contrôler une autre ». Pour l'heure, à la différence de la pièce de Luigi Pirandello [1], nous sommes donc une équipe de six personnes (le rédacteur en chef de la Ména, le manager, son assistante, un journaliste, Nahum Shahaf et moi-même) en quête du scénario que l'un d'entre nous, Shahaf, affirme avoir reconstitué et dont nul ne connaît les auteurs. Une équipe soucieuse avant tout de ne pas faire dire à l'image ce qu'elle ne nous dit pas.

1. *Six personnages en quête d'auteur.*

Notre travail débouchera sur un reportage audiovisuel : « A-Dura : l'enquête ».

1. LE CŒUR DU SCÉNARIO

Le scénario dégagé des images visionnées a pour thème une des histoires les plus émouvantes qui puissent exister : la réaction d'un père et de son fils à un danger mortel.

L'intrigue

C'est tout simplement et crûment la vie et la mort.

Il s'agit de savoir si le père et son fils, menacés par l'ennemi, vont s'en sortir. Il s'agit aussi de voir un père faire tout ce qu'il peut pour sauver son fils.

Les personnages

Celui de l'enfant représente l'innocence de celui qui, étant donné son âge, n'a jamais pris part à des manifestations contre l'ennemi, ce qui n'est pas le cas de l'acteur qui joue le personnage du père, dont on apprendra plus tard qu'il fut blessé d'une balle lors de la première Intifada (nous ignorons s'il fut lui-même armé).

3. LES TROIS UNITÉS

Le drame respecte la règle des trois unités : l'unité de temps qui fait autant que possible coïncider le temps de l'action avec celui de la représentation, l'unité de lieu qui limite au maximum les invraisemblances criantes, l'unité d'action qui entrelace les personnages de sorte qu'ils participent d'un même destin. C'est pourquoi le scénario nous apparaît plus nettement si nous regroupons les images par unité traitée.

Unité de temps

Ce qui est montré à l'écran ne se produit pas au moment même où on le montre, mais le décalage temporel est compensé par la coïncidence entre la mort de l'enfant et le fait qu'une caméra ait été là pour la filmer. 8 heures d'affrontements dans la bande de Gaza sont ramenées à 60 minutes de tournage, parmi lesquelles 45 minutes de tirs nourris, dont le cameraman sélectionne 6 minutes d'où sont extraites 50 secondes pour un reportage qui doit faire le tour du monde en un minimum de temps.

En même temps, l'aspect troublant de la coïncidence nommée plus haut est gommé par le fait que la mort de l'enfant est présentée comme un des événements qui ont lieu dans l'ensemble des

Territoires autonomes palestiniens le 30 septembre 2000.

Unité de lieu

Toute l'action se déroule en un lieu fixe, derrière un baril surplombé d'une pierre.

L'angle de prise de vue est calculé de telle sorte que l'on ne puisse voir que les principaux personnages : les victimes.

Soudain, pourtant, la caméra se met à bouger et le champ s'élargit, au point de faire apparaître un objet pour le moins déplacé, un trépied de caméra, comme si quelque chose s'était produit dans le dos du cameraman qui l'avait fait sursauter. Mais, l'œil se recentre très vite sur l'enfant et son père.

Unité d'action

Le seul objet de suspense est de savoir si le père et l'enfant vont s'en sortir et, s'ils ne s'en sortent pas, comment ils vont mourir.

Coup de théâtre

Il s'agit tout autant de la mort de l'enfant que du fait que les Israéliens aient pu le tuer.

Que l'enfant soit assassiné en direct est une abjection qui satisfait le goût morbide de la cruauté auquel les téléspectateurs peuvent céder malgré eux, à l'heure de leur journal télévisé. Mais qu'il ait été tué intentionnellement et de sang-froid par un soldat appartenant à un peuple qui a apporté au monde le commandement : « Tu ne tueras pas ! » est un *scoop* télévisuel, moral et théologique.

Déconstruction de la mise en scène

A. Le « témoin temps »

La reconstitution chronologique des images décisives est garantie par la présence d'un témoin malgré lui, le personnage barbu qui se tient, étrangement, debout dans un angle.

B. Les séquences

Le reportage de Metula News Agency, *A Dura : l'enquête,* démonte, en appui notamment sur les rushes de Reuters, la mise en scène de l'événement, filmé par Talal Abu Rhamé et commenté par Charles Enderlin, de la manière suivante :

1. Une jeep s'en va et passe devant le baril où se trouvent déjà le père et l'enfant, et eux seuls.
2. Au second passage de la jeep, le père et l'enfant sont accompagnés d'un cameraman. Plu-

sieurs manifestants s'enfuient. Eux aussi peuvent s'enfuir, mais ils ne le font pas.

3. Peu après il n'y a plus ni père ni enfant derrière le baril.

4. Puis les revoilà dans la même situation.

5. Surviennent les tirs. Selon le père, le fils est mort instantanément, dès le premier coup de feu. Or, selon le film de France 2, ce n'est pas le cas. L'enfant a d'abord les genoux pliés sur les cuisses du père. Puis on le voit couché sur le flanc, puis coude levé, puis sur le ventre, la main devant les yeux.

6. Ces gestes ne correspondent pas à ceux d'un enfant en train de mourir. D'ailleurs, l'enfant soulève son coude et jette un œil en direction de la caméra.

7. Autres signes étranges pour un tournage d'une scène de guerre : le trépied d'un cameraman qui se tenait tout près de la scène de la mort de l'enfant et qui s'est enfui, et le chiffre " 2 " (« V ») qui passe devant l'objectif de l'autre cameraman qui filme la scène. Pour les professionnels de l'image, ce dernier élément peut signifier qu'il s'agit du début de la deuxième prise.

8. Le pied du baril derrière lequel se cachaient Jamal et l'enfant ne porte aucune trace de sang. Or, selon le médecin de l'hôpital de Gaza qui a réceptionné le corps, Mohamed a été tué par des

balles à haute vélocité. Pas de trace de sang non plus sur le mur.

A ce propos, on note que le mur ne comporte qu'un seul nouvel impact de balle entre le début et la fin de la scène de la mort de l'enfant, et non plusieurs, comme le disent Talal Abu Rahmé et le Rapport d'Amnesty International (qui, au passage, ne s'étonne nullement qu'il n'y ait aucune trace de sang sur le mur ; voir annexe).

9. En revanche, lorsque des Palestiniens montrent à des journalistes le lieu du drame, on distingue, cette fois clairement des taches rouges (et non quasiment noires comme il se devrait plusieurs heures après ce qui est présenté comme la mort de l'enfant), rajoutées a posteriori sur le sol. Rien sur le mur.

10. Mais le reportage ne s'arrête pas là. Il pose d'autres questions troublantes à propos de contradictions présentes dans les propos des journalistes. Ainsi, Charles Enderlin a-t-il déclaré aux enquêteurs de l'armée israélienne (en hébreu) : « J'ai été interviewé par sept stations arabes qui m'ont demandé comment les soldats avaient tué cet enfant. Je leur ai répondu : premièrement, nous n'avons jamais prétendu que les soldats l'avaient tué ».

11. Toujours interrogé par la commission d'enquête, le cameraman Talal Abu Rahma déclare : Les Palestiniens n'ont jamais prétendu

que c'étaient les Israéliens qui avaient tué l'enfant.

12. Nahum Shahaf : Non, les Palestiniens disent que vous êtes sûrs que ce sont les soldats israéliens qui ont tué l'enfant.

13. Talal Abu Rahmé : Je n'ai pas dit que les soldats israéliens ont tué l'enfant.

14. Comment le « scoop » a-t-il été possible ? Talal Abu Rahma a reçu de nombreux prix internationaux pour ce reportage. Comment se fait-il qu'il fut le seul à filmer ces événements, alors que ce jour-là, au carrefour de Netzarim, au moins une dizaine d'autres professionnels étaient sur les lieux, certains même, à moins d'un mètre du baril ?

15. A ce jour, il existe toujours des contradictions sur la totalité des rushes fournis ou non par France 2 à la commission d'enquête.

Pourquoi, malgré de nombreuses demandes, France 2 a-t-elle refusé de montrer les 27 minutes de rushes tournées ce jour-là sur le seul événement Mohamed A Dura ? Pour le responsable de la rédaction, Olivier Mazerolle, France 2 l'aurait fait s'il existait des doutes sérieux sur la version d'Enderlin. Talal Abu Rahmé donne une autre explication : « Nous gardons quelques secrets pour nous-mêmes. Nous ne pouvons rien donner...euh... tout donner ».

16. Comme les images le montrent, il y avait profusion d'ambulances et de caméras ce jour-là.

Pourtant, personne n'a filmé ni vu l'évacuation du père et de l'enfant.

17. Interviewé une nouvelle fois sur le sort de son fils après les événements, Jamal Al Dura ne laisse que peu de place au doute. Il affirme, cette fois, que son fils est vivant.

18. D'autres questions restent en suspens. Pour les enquêteurs, qui n'en ont pas encore publié les preuves formelles, de sérieux doutes pèsent sur la filiation réelle entre Jamal Al Dura et l'enfant de Netzarim, ainsi que sur l'identité de celui qui a été inhumé comme étant Mohamed Al Dura.

19. Mais ceci est l'objet d'une autre enquête.

Les étranges images de la mort de Mohamed Al Dura

Charles Enderlin affirme que France 2 dispose des images qui concernent l'agonie de l'enfant que, pour des raisons éthiques, il a retirées de son reportage [1]. Sont-ce les images [2] extraites des cinquante secondes diffusées par France 2 ? En existe-t-il d'autres ? A lui de répondre. En tout cas

---

1. « J'ai coupé l'agonie de l'enfant. C'était trop insupportable, dit-il.... Quant au moment où le garçon reçoit les balles, il n'a même pas été filmé » (in Annexe – Piste Médias 4e – Leçon N° 2).

2. « Une blessure baladeuse ! » (info # 010811/2), par Jean Tsadik.

celles-ci permettent de voir le truchement par lequel les blessures de l'enfant semblent saigner abondamment.

Selon l'Autorité Palestinienne, une des balles aurait atteint l'enfant à la hauteur du sein gauche, le transperçant de part en part, alors qu'un autre projectile l'aurait blessé au ventre. Nous avons vu que selon le témoignage du père, une balle l'aurait touché dans le dos, l'autre au genou. Mais, à présent, peu importe cette contradiction. Les balles étant *à haute vélocité*, les images auraient dû montrer des corps massacrés, baignant dans des mares de sang.

Bien plus, selon Jean Tzadik, des images, tirées du reportage de France 2 et isolées par l'expert Nahum Shahaf, montrent clairement que « les réalisateurs de la fiction Al Dura ont placé une sorte de chiffon rouge sur le corps du garçon » et que « cette tache était censée représenter le sang jaillissant au point d'impact de l'une des *balles israéliennes*. En fait, le chiffon ne tenant pas en place, il change d'emplacement au fur et à mesure que l'enfant change de position ».

En disant que France 2 n'a pas voulu gagner d'argent avec la mort d'un enfant, Enderlin semble confirmer que la chaîne détient les images de la lente agonie de Mohamed.

De même que les médecins qui ont confirmé la mort de l'enfant à l'hôpital de Shifa à Gaza l'ont fait de l'extérieur de son corps, de même nous ne parlons des rushes de la chaîne qu'à partir de cette position où France 2 a mis le téléspectateur, à savoir de l'extérieur. Mais, il n'en est pas moins aisé de comprendre qu'entre l'agonie de l'enfant, les blessures que révèlent son corps à l'hôpital et les images du reportage de France 2, il y a une béance.

En effet, la dernière lutte d'un être vivant contre la mort qui le surprend, lorsqu'il est la cible de balles à haute vélocité, est une lutte maculée de sang.

Le corps supplicié d'un enfant dont le médecin légiste dit qu'il est le petit Mohamed présente d'affreuses blessures. L'une à la tête, d'ailleurs, sans savoir s'il l'associe au meurtre de l'enfant, d'autres de la poitrine à l'abdomen.

On est même saisi d'effroi en voyant apparaître une immense trace de sang qui court le long d'une blessure, comme si l'enfant avait été agressé à coups de couteau. Et, avant même de se demander si ce corps est bien celui de l'enfant sur la photo, on ne peut que s'interroger sur le fait que ces balles qui auraient traversé son corps n'ont laissé aucune trace de sang, ni sur son front (s'il a été blessé à la tête, là-dessus les déclarations sont contradictoires), ni sur son *tee-shirt*.

Certes, nous l'avons vu, il y a bien cette grande surface de couleur rouge qui s'immobilise sous le corps de l'enfant, lorsque lui-même s'immobilise à terre, en recouvrant son visage de sa main. Mais, lorsqu'on fait un arrêt sur images, comme précédemment, on constate que cette surface se déplace progressivement selon un itinéraire que ne saurait effectuer d'elle-même une vaste tache de sang qui finit de toute façon par laisser des traces parterre.

Il y a donc tout lieu de penser qu'il s'agit d'une étoffe rouge ou de quelque chose de cet ordre qui se déplace peu à peu, au fur et à mesure de la chute progressive du corps.

Les effets spéciaux

On peut prendre la mesure des effets spéciaux à la lecture de ce qu'un psychanalyste qui se pique d'être un spécialiste du décryptage d'images en reconstitue, lorsqu'il s'exprime sur ce qu'il pense être un cadavre d'enfant.

Au lieu de constater que ce que l'on croit être un cadavre d'enfant assassiné par balles est un faux cadavre, puisque non maculé de sang, il affirme que la force de l'image « provient paradoxalement des yeux ouverts du survivant » [1] (dont il ne remarque pas non plus que son corps n'est porteur d'aucune tache de sang).

1. Interview de Serge Tisseron, psychiatre, psychanalyste, le 6/11/00.

S'ensuivent alors des considérations sur « cette fragile poubelle » (qui est, en fait, nous l'avons vu, un baril de ciment), sur l'homme qui paraît mort et qui « a d'autant plus bouleversé les spectateurs qu'il semble qu'on lui a refusé sa sépulture.... On pourrait dire face à cette image « mais il n'y a donc personne pour aller lui fermer les yeux ? » et cela rend cette mort absolument insupportable. »

La suite est encore plus édifiante : « cette image en photographie latérale, c'est tout à fait une construction de tableau, avec une ligne montante, une ligne de chute, une construction en triangle avec la tête au sommet »

Enfin, ignorant peut-être l'illustration de l'article d'*Al Ahram* que j'ai mentionnée au début de ce livre, ce psychanalyste n'hésite pas à écrire : « Goya aurait peint le massacre du 30 septembre de Netzarim, il l'aurait conçu sûrement comme cela » [1].

1. Quant à P.H. Armstam, chargé de la rédaction de France 2, il précise : C'est l'arrêt sur l'image montrant ce gamin hurlant qui en a démultiplié les effets »*In Annexe – Piste Médias 4ème – Leçon N° 2 – Un journaliste peut-il tout dire, tout écrire, tout montrer ?*

CONCLUSION

Remettez-vous, monsieur, d'une alarme si chaude.
Nous vivons sous un prince ennemi de la fraude,
Un prince dont les yeux se font jour dans les cœurs,
Et que ne peut tromper tout l'art des imposteurs.

MOLIÈRE

Trois idées s'imposent, au moment de conclure.

1. La thèse de la mise en scène de la mort de l'enfant palestinien se vérifie et ce à trois niveaux :

1. 1. Le commentaire. France 2 connaît le témoignage de Talal Abu Rahmé accusant les Israéliens[1] d'avoir tué l'enfant intention-

1. Une variante de cette affirmation peut être donnée, comme celle de Edgard Rsokis, journaliste, Maître de conférence associé au Département d'information-communication de l'université Paris-X (Nanterre), qui écrit : « le petit Mohamed El Doura a été abattu par une balle probablement tirée depuis une position israélienne », in *Intifada pour une paix* – Images en boucle, *Le Monde diplomatique.* Le mot « probablement » ne change, en effet, pratiquement rien à la question de la mise en scène.

Pourtant, son constat s'appuie sur au moins deux approximations : « Le 30 septembre 2000, à Netzarim (bande de

nellement et de sang-froid. France 2 connaît aussi le démenti que le cameraman lui a apporté fin septembre 2002. Pourtant France 2 ne spéficie pas publiquement que le commentaire initial de Charles Enderlin était erroné.

1. 2. L'image. La propagande palestinienne accrédite l'affirmation selon laquelle ce sont les Israéliens qui ont tué l'enfant intentionnellement et de sang-froid, en important d'un autre contexte l'image d'un soldat israélien en train de tirer et en l'insérant parmi les images initiales du reportage de France 2.

Gaza), le petit Mohamad El Doura était abattu par une balle probablement tirée depuis une position israélienne (1) ».

a) Une balle ? Sûrement pas. Au moins deux.

b) « Probablement » ? Non, nul n'était fondé à l'affirmer à ce moment-là.

Quant à l'affirmation : « abattu », je constate que même ce spécialiste de l'image ne s'est pas posé la question de la distinction entre un vrai cadavre d'enfant assassiné de plusieurs balles à haute vélocité et un cadavre qui n'est pas maculé de sang. Du même coup l'ensemble de sa démonstration qui compare l'image du petit Mohamed à celle de la « Pietà d'Alger » tombe à l'eau (sauf à considérer, par l'absurde, que la « Pietà d'Alger » est aussi une mise en scène (hypothèse, au demeurant, que des professionnels des médias retiennent aujourd'hui). En fait, le point aveugle de ce journaliste, c'est qu'il est devenu lui-même un acteur de la guerre des images qu'il prétend observer objectivement.

1. 3. La fiction. Des réalisateurs palestiniens font passer une fiction pour la réalité, comme le montre l'incompatibilité des images du corps de l'enfant que l'on voit à l'écran avec celles d'un enfant qui aurait été réellement et mortellement atteint *on live* par des balles à haute vélocité.

En fait, un acteur joue sa mort, comme s'il était tué à bout portant par des soldats israéliens fictifs dont on nous donne à croire qu'ils sont placés derrière la caméra.

Ces trois déconstructions n'accordent pas la même fonction à la mise en scène. Les deux premières en font l'habillage d'un événement dont on affirme qu'il s'est réellement passé, malgré les témoignages incohérents et contradictoires sur sa cause et ses circonstances ; la dernière en fait une faculté d'inventer un événement et de le faire passer pour une réalité.

2. La mise en scène de la mort de l'enfant a ouvert une nouvelle ère dans la guerre des images.

Saura-t-on la refermer ?

Selon Charles Enderlin, parler de guerre des images est un faux problème : « Sur le terrain, nous montrons la réalité comme elle arrive, un point c'est tout. Si les images sont violentes, c'est parce que la réalité est violente. Après, si les gens refusent de voir cette réalité, ils n'ont qu'à éteindre leur poste. Le journal télévisé n'est pas un dessin animé » [1].

« Comme elle arrive » ?

Notre contre-expertise révèle que le reportage de France 2 ne montre pas la mort de l'enfant comme elle arrive, mais *comme elle n'arrive pas.*

Souvenons-nous aussi des propos du journaliste que nous avons cités plus haut : « A mon avis, il était indispensable de montrer ces images pour faire comprendre la réalité du conflit. Le débat avec la rédaction à Paris a été très court. J'ai décidé avec Philippe Harrouard (le rédacteur en chef du week-end) de diffuser les images à l'intérieur d'un reportage factuel. Car dès lors que les images vidéo ne sont pas intégrées dans un reportage, il y a un risque énorme pour qu'elles soient détachées de la réalité et deviennent de la propagande. *Ensuite, j'ai retiré quelques images au montage, la séquence étant trop longue* (mes italiques/NDA). Puis, j'ai demandé que l'on prévienne les téléspectateurs de la dureté des images ».

La réalité ? Quelle réalité ? Et puis, de quelle nature est ce « risque énorme de propagande » ?

1. http ://pedagogie.ac-aix-marseille.fr/histgeo/pedago/ecjs/mano-007.htm.

Si des images intégrées dans un reportage valent effectivement mieux que des images non intégrées, en quoi cet encadrement protège-t-il inéluctablement de la propagande ?

S'agissant, par exemple, de la propagande palestinienne qui a eu lieu du fait de l'insertion après coup de l'image du soldat israélien dans certaines des images du reportage initial, en quoi y a-t-il eu protection ?

Par ailleurs, est-ce que l'impératif technique est le seul impératif éthique ?

En quoi une insertion dans un reportage prémunit-elle nécessairement contre la propagande ?

Enderlin veut-il nous dire que ce ne sont pas les précautions éthiques qui sont décisives ?

Et que penser de ces précautions, quand on sait qu'il a affirmé sans aucune preuve que les Israéliens avaient pris pour cible l'enfant et son père ?

S'il existe une guerre des images, ce n'est pas tant celle qu'on croit – la continuation de la politique et de la guerre par d'autres moyens – que celle qui existe entre l'image fixe et l'instantané de la mort ou de la souffrance qu'elle est censée montrer.

Lorsque l'image fixe vient à la place de cet instantané, c'est soit parce que l'on veut éviter de montrer une agonie, mais alors il faut s'abstenir de montrer quelque image que ce soit qui ait un rapport quelconque avec cette mort, soit parce que l'on couvre une mort qui n'a pas eu lieu d'une image qui, par sa fixité, se substitue à elle et la rend réelle.

Allons plus loin.

Charles Enderlin affirme que « la télévision a peut-être une influence sur l'opinion publique. Mais pas sur les événements eux-mêmes. » Cette manière de récuser l'art manipulatoire de la télévision est complètement inadéquate à la réalité.

Car, non seulement l'opinion publique locale, nationale et mondiale, est un élément clé de ladite réalité, surtout lorsqu'il y a une guerre, mais encore l'image est structurée de telle sorte qu'elle peut orienter sa décision et son action. L'image plane à deux dimensions n'existe pas. Pour l'observer, il faut toujours se parer d'une perception densitométrique : étudier les différentes couches des images manquantes qui ont laissé leurs indices, ça et là [1].

3. La mise en scène palestinienne de la mort de l'enfant et la négligence israélienne pour la déconstruire révèlent la contradiction existant

1. Michel Foucault le démontre de manière magistrale dans l'introduction de son livre *Les Mots et les Choses* (Gallimard).

entre le désir des deux autorités politiques de se rejeter l'une l'autre.

Pourquoi l'idée de mettre en scène la mort d'un enfant est-elle venue à l'esprit des réalisateurs palestiniens ? Eux seuls peuvent répondre à cette question, mais ce qui est sûr c'est que toute mise en scène a un effet de visibilité [1].

Le fait que ce soit par l'enfant, et qui plus est, par la mort de l'enfant, qu'ils aient pu vouloir afficher cette visibilité et le fait que les Israéliens n'aient pas cherché à déconstruire cette mise en scène en disent long sur le conflit qui oppose les deux autorités politiques.

A ce moment-là, le 30 septembre 2000, ni les Palestiniens ni les Israéliens n'auraient dû décider, pour les uns, de prendre le risque, pour les autres, que les enfants deviennent l'enjeu de la guerre en général, et de la guerre des images en particulier, qui allaient faire rage entre eux.

Une commission d'enquête bipartite, à l'époque où les liens entre les deux protagonistes étaient encore solidement établis, aurait dû im-

1. Même la seconde Intifada est mise en scène. C'est ainsi que nous lisons sous la plume d'Elias Sanbar, rédacteur en chef de la *Revue d'Etudes Palestiniennes*, le 10 décembre 2000 : « L'Intifada en cours couronne le retour des Palestiniens dans la visibilité ». In *Immoralité absolue*, Revue d'Etudes Palestiniennes, *op. cit.*

médiatement comprendre et mesurer l'enjeu de ce qui était en train de se dérouler. Les décideurs politiques et les sociétés civiles des deux pays et des deux peuples auraient dû aussitôt intervenir pour empêcher que les enfants deviennent les otages fatals d'une guerre qui, si une telle décision avait été prise en commun depuis longtemps, n'aurait jamais pu être déclarée.

Finalement, la mise en scène palestinienne de la fausse mort de l'enfant palestinien s'est effacée derrière le procès-écran fait aux Israéliens [1].

---

1. Dans un article en date du 7 novembre 2002, *Israël accuse de partialité les journalistes étrangers*, Alexandra Schwartzbrod cite, dans *Libération*, des propos du Directeur actuel du service de presse du gouvernement israélien, Dany Seaman, en réponse à un rapport accablant présenté par Tzali Reshef à la Knesset qui indiquent clairement comment, aujourd'hui encore, il n'y a pas de volonté d'Israël (et donc pas seulement de l'Autorité Palestinienne) de faire la lumière sur les images qui mettent en scène la mort de l'enfant palestinien. *« La mort du petit Mohammed était en réalité un coup prémédité par les Palestiniens. Les seuls cameramen étaient des Palestiniens travaillant pour la presse étrangère. Un enquêteur a été embauché par l'armée israélienne pour étudier scientifiquement les films de la scène. Et il y a un moment où l'on voit Mohammed assis tranquillement avec son père, attendant de jouer dans le film de sa propre mort. »*

Mais à la question : « Une mise en scène ? L'enfant serait donc encore vivant ? » Seaman répond : *« Non, je ne le pense pas. Mais les Palestiniens n'auraient aucun problème à tuer leurs propres enfants pour le bien de la cause. Cette opération était préméditée pour qu'Arafat puisse dire : « Regardez, on tire sur nos enfants, je ne peux pas arrêter ce soulèvement. »*

*

Le reportage de France 2 a donné lieu à des instrumentations. Mais il est également devenu l'enjeu d'un débat sur l'éthique de l'information.

C'est ainsi que le Centre de Formation et de Perfectionnement des Journalistes/CFPJ a ouvert une session *Ethique et journalisme : morale, responsabilité et devoir d'information* sur ces propos : « Un journaliste digne de ce nom prend la responsabilité de tous ses écrits même anonymes : tient la calomnie, les accusations sans preuves, l'altération des documents ». Il propose le sujet suivant :

Sans détailler la question de fond des inadmissibles atteintes – de part et d'autre – à la liberté de la presse, et en nous concentrant sur le dossier que nous avons développé, il est certain que Seaman cherche à instrumentaliser ce dossier, en mentionnant cet intolérable préjugé selon lequel « les Palestiniens n'auraient aucun problème à tuer leurs propres enfants », plutôt qu'à l'expliquer.

Quant à la réponse d'Enderlin : *« M. Seaman sait parfaitement que ce sont des élucubrations mensongères. Lui-même a pu visionner, il y a un an, tout le matériel vidéo existant sur le sujet avant de déclarer, devant témoins, qu'il n'avait aucune critique... Ses déclarations entrent dans le cadre de sa campagne de harcèlement de la presse étrangère. »*, elle est pour le moins contredite par l'audit audiovisuel du reportage de France 2 que Metula News Agency a proposé à France 2 de visionner le 18 novembre 2002.

Journaliste ou voyeur ? Mohammad, ou l'impact d'une image à la réflexion des stagiaires.

Après avoir rappelé que la présentatrice du journal télévisé de France 2 a mis en garde ses téléspectateurs « contre la violence des images qui vont suivre », il rappelle les circonstances du drame, puis précise que « les journalistes s'interrogent : peut-on diffuser de telles images à une heure de grande écoute ? »

Après avoir affirmé que « Mohammad s'effondre, touché par une rafale dont l'origine est incertaine », il pose la question de l'éthique par rapport au « cas de conscience au sein de la rédaction de France 2 » qui porte sur la question : « Fallait-il montrer ces images ? »

On apprend alors que si les journalistes sont unanimes sur la pertinence de la diffusion des images au 20 heures, « tous s'accordent à dire qu'il faut donner un cadre à une image comme celle de Mohamad, *afin de rester neutre* (c'est moi qui souligne/NDA) ». On apprend également que, pour Thierry Thuillier, la frontière entre le voyeurisme et la valeur informative d'une image réside dans le traitement journalistique qu'on en fait. « La différence, affirme-t-il, est grande entre filmer l'agonie d'Omayra Sanchez (la petite Colombienne enlisée dans un sol marécageux en 1985) et la mort de Mohammad Al-Doura qui représente *une situation exemplaire* (c'est moi qui souligne/NDA) ».

On découvre donc que l'idée de poser la question de l'éthique par rapport au contenu informatif (la mise en accusation des Israéliens par Enderlin) n'est venue à l'idée de personne. Le CFPJ affirme que l'origine des balles est incertaine, Enderlin maintient son témoignage, et personne ne voit matière à poser une question d'éthique de l'information.

Quelques mois plus tard, France 2 sera pourtant consciente de la nécessité de formaliser une Charte d'Ethique qui définira les principes d'une éthique de l'information : honnêteté, véracité, précision.

Honnêteté ? A aucun moment, ce livre n'a voulu porter le moindre jugement moral sur qui que ce soit. Ce n'est pas au moment de sa conclusion que l'auteur va changer d'avis.

Véracité ? Précision ? La différence entre origine israélienne et origine incertaine des balles n'est-elle pas une affaire de véracité et de précision ? Assurément. Dans la Charte, on apprend que *« La plus grande vigilance s'impose donc quant aux termes employés dans les commentaires. L'approximation est à bannir »*. L'approximation ? N'est-ce pas une « approximation » qui, étant donné la gravité du reportage, a tous les aspects d'une erreur ?

Mais alors, qu'est-ce que la Charte prévoit pour les erreurs ? « Les erreurs importantes, dit-elle, doivent être clairement et rapidement corrigées dans l'émission où elles ont été commises. Il ne suffit pas de corriger une information erronée, mais il est nécessaire de spécifier qu'il s'agit d'une correction. En outre, faire état d'un démenti implique de vérifier s'il est justifié ».

Deux ans après la diffusion du reportage, la correction n'a toujours pas été faite, ni spécifiée.

Un autre aspect de la Charte paraît primordial : celui qui se rapporte à « l'information en temps réel ». « Le besoin constant d'images et les conditions d'urgence dans lesquelles les rédactions sont souvent amenées à opérer, affirme la Charte, créent un environnement propice à la survenance de manquements préjudiciables à la crédibilité de l'information. France Telvisions s'interdit de diffuser une nouvelle non vérifiée sous la seule pression de l'événement, traite l'information avec rigueur et sous forme dubitative ou en précise la source si les recoupements ne sont pas immédiatement possibles ou satisfaisants. »

Pour le dire autrement, la chaîne encadre très sérieusement la possibilité de « scoops ».

Or, Enderlin n'était pas présent sur les lieux.

Son cameraman n'a rien vu de précis et a accusé les Israéliens sur la base d'une déduction.

Aucune autre chaîne de télévision n'a filmé ce moment dramatique, alors qu'elles étaient nombreuses sur le terrain.

Il n'existe aucune image d'une ambulance conduisant le père et l'enfant à l'hôpital.

Les Israéliens ont refusé de lui donner leur version des faits.

Enfin, la Charte prévoit l'approfondissement et le suivi de l'information. « Lorsque des événements dont il a été rendu compte à l'antenne connaissent des développements qui changent ou contredisent certains éléments fournis précédemment à l'antenne, il importe d'y revenir ».

Les nouveaux éléments qui figurent dans ce livre devraient donc conduire France 2 à comprendre que, s'il est hors de question de contraindre quelque journaliste que ce soit à révéler l'origine des informations qu'il a livrées dans son reportage, la protection des sources ne peut être invoquée lorsque le reportage a fait passer une fiction pour la réalité.

L'application de la Charte de France 2 conduira-t-elle la chaîne à ouvrir un débat sur la réalité ou la fiction de la mort de l'enfant palestinien, nommé Mohamed Al Doura ?

ÉPILOGUE

Ainsi, le travail de celui qui s'efforce à la vérité est-il rendu plus difficile, plus obscur et plus périlleux, cependant que s'estompe sans cesse l'écart entre le réel et le reconstruit, l'authentique et le fabriqué, ce qui a été et ce qui en est dit.

Danièle HUBER [1]

1. In *Les Derniers des Barbares*, Paris, Fureur de Dire, 1995, p. 195.

Au terme de ce livre, la « mort » d'un enfant palestinien, nommé Mohamed Al Dura, à Netzarim, le 30 septembre 2000, apparaît comme une fiction qui a pour sujet le meurtre d'un fils en présence de son père par un ennemi implacable.

Cette fiction a été construite comme un synopsis mis en scène *in situ* et *on live* par un cinéaste palestinien, filmé par un cameraman travaillant pour France 2, commenté par le correspondant de France 2 à Jérusalem, puis diffusé aussitôt et gratuitement par la chaîne nationale aux télévisions du monde entier.

Par la suite, ces images ont été utilisées au service d'une stratégie de communication palestinienne qui a justifié le fait d'y insérer d'autres images qui ne figuraient pas dans le reportage initial, et l'ensemble a été raconté comme une épopée par un grand poète.

Mais alors, s'il y a fiction, où est la vérité ?

La vérité, c'est d'abord que l'enfant qui nous est montré à l'écran n'est pas mort, puisqu'il joue sa mort.

Certes, le registre du Palestinian National Information Center atteste qu'un enfant, Mohamed Al Dura, est mort, ce jour-là, à Netzarim. Des photos du cadavre d'un enfant horriblement ensanglanté ont été également montrées par un médecin de l'hôpital Shifa de Gaza. Un enfant a également été enterré comme martyr. Ces documents existent. Mais, à supposer que ces trois enfants sont une seule et même personne (ce qui reste à démontrer), cela veut seulement dire qu'il y a au moins deux enfants en présence : l'un qui meurt, l'autre pas, l'un qui est tué, l'autre qui est vivant.

A supposer que la mort de l'enfant nommé Mohamed Al Dura a eu lieu, quelles en ont été les circonstances exactes ? Nous ne le savons pas. Peut-être le scénariste de la fiction que nous avons déconstruite les connaît-il et a-t-il tenté de les reconstituer, mais, comme nous n'avons pas rencontré la moindre preuve qui en démontrait l'exactitude, nous ne pouvons retenir l'idée que cette fiction contiendrait quelque parcelle de réalité.

Si cette réalité a existé, le scénariste de la fiction, ainsi que le poète, les politiques, les militaires et, bien sûr, les parents et les historiens auront tout loisir de le démontrer. Mais ce dont nous sommes sûrs, c'est que, jusqu'à présent, personne n'a pu nous démontrer, preuve à l'appui, que l'enfant que nous avons vu à l'écran a bien été tué ni qu'il a été tué ce jour-là, comme ça (c'est-à-dire sans que son corps ne saigne), là.

Aujourd'hui, cette fiction produit de nouveaux fruits. Après avoir laissé une empreinte décisive sur la représentation mondiale de la guerre israélo-palestinienne, elle inspire une jeune italienne de 15 ans, Randa Ghazi, qui dédie son livre [1] à son héros.

On y retrouve « Mohamed » et « Rami », qui, comme nous l'avons vu, sont les deux prénoms du héros de la fiction. On y retrouve également « Gamal », proche du prénom « Jamal » de l'homme qui y figure comme son père. Mais on y trouve surtout Ibrahim (Abraham), nom arabe du patriarche monothéiste donné au héros dont la narratrice raconte l'histoire.

Or, Abraham est, pour nous, le nom effacé de la « passion Al Dura ».

En effet, la déconstruction de la fiction et de sa mise en scène nous révèle qu'un fils est mort et qu'un autre est vivant. Ce qui est exactement le statut du fils dans le récit du sacrifice d'Isaac (pour les Juifs, les Chrétiens et certains Musulmans) et

1. *Rêver la Palestine* (Paris, Flammarion, 2002). Lire l'éditorial d'Elisabeth Schemla sur ce livre in Proche-Orient Info, 25 novembre 2002.

d'Ismaël (pour d'autres Musulmans [1]). Dans la *Bible*, comme dans le *Coran*, le fils est *pensé* comme mort, mais du fait qu'un bélier lui est substitué, il *est* vivant.

L'intention, qu'elle soit désir ou défaut d'interprétation du désir, est le meurtre du fils, mais l'acte est sa préservation et sa protection.

Il faut donc être à l'écoute de deux discours, le discours onirique et le discours réalitaire, si l'on veut restituer tout son sens à cette fiction.

Cette position suppose de rompre avec le joug de la « société du spectacle » et de renoncer à s'abandonner à la toute-puissance du délire qui, parce qu'il attribue un statut définitivement fictif à tout ce qui existe, transforme le faux en vrai.

Rappelons que l'affrontement de Netzarim a lieu le surlendemain de la visite d'Ariel Sharon sur le haut lieu du non-sacrifice de son fils par Abraham. Dans *La psychanalyse à l'épreuve de l'Islam* (Paris, Aubier, 2002), Fethi Benslama explique clairement « qu'il n'y a pas de position tranchée et claire dans le *Coran* sur la question de savoir lequel des fils, Isaac ou Ismaël, est l'enjeu du sacrifice... De fait, toute une tradition maintient l'indécision quant aux choix entre les deux fils ». Quant à la raison pour laquelle Abraham épargne son fils, pour les Juifs, c'est un ordre de Dieu qui revient sur ce qu'il lui avait demandé précédemment pour l'éprouver, alors que pour les Musulmans, c'est une interprétation. Dieu dit à Abraham qu'il a cru au rêve qu'il a eu de devoir immoler son fils, mais que son interprétation étant fausse, un bélier devait nécessairement être substitué à son fils.

Annexe

1. EXTRAIT DU RAPPORT d'AMNESTY INTERNATIONAL

DOCUMENT PUBLIC
ISRAËL
TERRITOIRES OCCUPÉS
AUTORITÉ PALESTINIENNE
Une année d'Intifada
Index AI : MDE 15/083/01

ÉFAI

AMNESTY INTERNATIONAL ÉFAI
Index AI : MDE 15/083/01
DOCUMENT PUBLIC
Londres, décembre 2001

Muhammad Jamal al Dura

Le 30 septembre 2000, au deuxième jour de l'Intifada, Jamal al Dura et Muhammad, son fils de douze ans, rentraient au camp de réfugiés d'Al Bureij après être allés faire des courses. Des affrontements opposaient des lanceurs de pierres palestiniens aux FDI au carrefour de Netzarim, mais il n'y avait pas d'autre voie d'accès possible. Les tirs s'intensifiant, le père et son fils se sont abrités derrière un tonneau. Les faits ont été décrits par Talal Abu Rahma, cameraman de la chaîne de télévision France 2, dans une déclaration sous serment recueillie par le Centre palestinien de défense des droits humains.

« Soudain, j'ai entendu des pleurs d'enfant. J'ai dirigé ma caméra sur Muhammad Jamal al Dura qui avait été blessé à la jambe droite. Son père essayait de le calmer et de le protéger en le couvrant de son corps et de ses mains. Parfois, Jamal, le père, levait les bras pour demander de l'aide [...] J'ai passé près de vingt-sept minutes à filmer ces faits qui ont duré trois quarts d'heure. Je suis resté trente à quarante minutes sur les lieux après qu'une ambulance eut emmené le père et son fils à l'hôpital.

Je ne pouvais pas partir car tous ceux qui se trouvaient là, moi y compris, étaient pris pour cible et étaient en danger.

Au début, les tirs sont venus de plusieurs côtés, israélien et palestinien. Ils n'ont pas duré plus de cinq minutes. Puis il est devenu évident pour moi que les tirs, venant d'une direction opposée à Muhammad et à son père, étaient dirigés vers eux. Des tirs intensifs et intermittents les visaient, eux et les deux postes avancés des forces de sécurité palestiniennes. Les tirs en provenance de ces postes avaient cessé après les cinq premières minutes. Le père et son enfant n'étaient pas blessés à ce moment-là, ils ont été respectivement blessé et tué pendant les trois quarts d'heure qui ont suivi. »

Muhammad est mort et son père a été grièvement blessé. Bassem al Bilbaysi, le premier ambulancier parvenu sur les lieux, a été tué au carrefour par des tirs israéliens alors qu'il essayait de sauver cet homme et son fils.

Dans un premier temps, les FDI ont affirmé que Muhammad al Dura avait été tué par des tirs palestiniens. Toutefois, le 3 octobre 2000, le chef d'état-major a déclaré que les FDI avaient mené une enquête et il a ajouté : « A notre connaissance, les tirs provenaient apparemment des soldats israéliens du poste avancé de Netzarim. » Des délégués d'Amnesty International, parmi lesquels figurait Stephen Males, un ancien responsable de la police spécialiste du maintien de l'ordre dans des situations délicates, se sont rendus sur les lieux le 10 octobre.

Entre temps, les FDI avaient démoli les bâtiments au pied desquels Muhammad al Dura et son père s'étaient abrités et les éléments balistiques avaient donc disparu.

Des photographies prises par des journalistes avant la démolition font apparaître de nombreux impacts de balles sur le mur, là où le père et son fils s'étaient réfugiés, ce qui laisse à penser qu'ils ont été pris pour cible par le poste israélien situé face à l'endroit où ils s'étaient recroquevillés. Le 11 octobre, le porte-parole des FDI à Jérusalem a montré aux représentants de l'organisation des plans qui prétendaient démontrer que Muhammad al Dura avait trouvé la mort sous des tirs croisés.

Index des noms propres

TABLE

Cet ouvrage a été composé et imprimé par

FIRMIN DIDOT

GROUPE CPI

Mesnil-sur-l'Estrée

pour le compte des Éditions Raphaël
en janvier 2003

Imprimé en France
Dépôt légal : janvier 2003
N° d'impression : 62379